新 潮 文 庫

夜 明 け の 辻

山本周五郎著

新 潮 社 版

3683

目次

嫁取り二代記……七
遊行寺の浅……三九
夜明けの辻……五七
梅月夜……一六五
熊野灘……一九七
平八郎聞書……二四一
御定法……二六一
勘弁記……二八一
葦……三〇一

荒涼の記……三一七

〔戯曲〕大納言狐……三三三

解説　木村久邇典

夜明けの辻

嫁取り二代記

一

「伯父上お早うござる」

自慢の盆栽の手入れをしていた牧屋《まきや》勘兵衛《かんべえ》はそう声をかけられて振返った。

「良いお日和《ひより》でございますな」

調子のいい愛想《あいそ》笑《わら》いをしながら、甥《おい》の直次郎《なおじろう》がこっちへやってくる。勘兵衛は眼鏡越しにじろりと睨《にら》んで、

「——えへん」

と威《おどし》の空咳《からぜき》をした。機嫌《きげん》執《と》りをしてもその手は喰《く》わぬと云《い》う意味である、ところが相手はいっこう感じない様子で、

「やあ驚いた、あの枝はもう咲きますな、さすがにお手入れが良いだけあって、この臘梅《ろうばい》はいつも半月早い、——庭木では誰にもひけを取らぬと云う瀬沼《せぬま》老が、この臘梅には音をあげていましたよ。いや実に見事だ」

「えへん、えへん」

瀬沼庄《しょう》右衛《え》門《もん》は藩の徒士《かち》目付で、勘兵衛とは盆栽の自慢敵である、——勘兵衛危

くつり込まれそうになって慌《あわ》てて空咳にまぎらした。直次郎は方面を変える。

「おやおや、しばらく拝見せぬ内にだいぶ鉢《はち》が殖えましたな、あれは何でござるか」

「――」

「葉の色と云い枝振りと云い、実に風雅なものだが、はてな、――芙蓉《ふよう》かな」

勘兵衛は、ついに堪《たま》らなくなって、

「こいつ、でたらめをっ」

と振返った、「正月の十日に芙蓉が葉を出すか、考えてみい」

「すると葉牡丹《はぼたん》ですか」

「貴様……この、――」

と眼鏡を摑《つか》みとったが、恐ろしく太い鼻息を洩《も》らすと、吐出すように呶鳴《どな》った。

「石斛《せっこく》じゃ、石斛というんじゃ、よく見ろこれを、――芙蓉や葉牡丹などとは茎も葉もまるで違うわ、違い過ぎるわ馬鹿馬鹿しい」

「こっちは何ですか」

けろりとしている。

「――知らん」

「はて何だろう、――こうっと、ああ分った、これは御自慢の真柏《まがしわ》です、今度は当りましたろう」

「それがどうした」

「してみると拙者にも植木の一つや二つは、満更分らぬ事もないと云う訳ですな、はっはっは、――時に、真柏で思い出しましたが、瀬沼老ひどく口惜《くや》しがっていましたよ伯父上」

「――何を？……」

「残念だが牧屋には敵《かな》わぬ、わしも真柏では苦心をしたが、とても牧屋ほど立派な花は咲かされぬと」

「馬鹿野郎！」

勘兵衛は喚《わめ》いた、「誰がどう苦心をしようと真柏に花が咲くか」

「そ、それは不思議……」

「貴様の方がよっぽど不思議だ。これ、――こっちへ向いてみろ！」

勘兵衛は眼鏡をかけて、甥の顔を穴の明くほど瞶《みつ》めていたが、

「貴様、また何か強請《ねだ》るつもりだな」

と云うのを隙《すか》さず、

「伯父上、助けてやってください」

とすばらしい気合で切込んだ、「実に気の毒な身上の者なんです、生れ落ちるとから両親の顔も知らず、陋巷《ろうこう》の塵《ちり》にまみれて世にありとあらゆる辛酸を嘗《な》め、今また泥《どろ》沼《ぬま》の底へ沈もうとしているのです、ぜひ」

「駄目《だめ》だ駄目だ、ならんぞ」

勘兵衛は大声に遮《さえぎ》った、「どうも先刻から変にごまを磨《す》ると思ったら果してこれだ。ならん！　もう貴様には騙《だま》されん、理由の如何《いかん》を問わず鐚《びた》一文出さぬからそう思え」

「金子《きんす》を頂こうとは申しません」

「――？」

「屋敷へ引取って頂きたいのです」

勘兵衛は甥の顔を横目で見た。これまで度々この手で丸められているのだ、金は要らぬなどと云っても迂闊《うかつ》に安心はできない。

「屋敷へ引取れ……と云って、その、――相手は何者なんじゃ」

「その穿鑿《せんさく》は後のこと、いまは何より伯父上のお許しが出るか出ぬかが大事なのです、もしここで突放してしまえば、その人物は泥沼の底へ墜《お》ち込んで、あたら一生を地獄の苦患《くげん》に送らなければなりません。助けてやってください伯父上、人間一人を生かすも殺すも伯父上の方寸にあるのです、それも別に金が要るとか特別の世話をするとか云うのではなく、ただこの屋敷へ引取って、当分のうち面倒をみてくだされぱいいのです、決して御迷惑はかけませぬから」

二

「だが、――」
勘兵衛は気乗りせぬ調子で、「引取るとしても、どこへ住ませるんじゃ」
「私の離室《はなれ》が明いております」
「あそこはわしの茶室に使っているではないか」
「なに、もう片付けさせました、お道具は数寄屋《すきや》へ運んであります」
「そう云う奴《やつ》だ」
勘兵衛舌打をして、「始めからわしを丸め込むものと定《き》めてかかりおる」
「御承知くださいますか」
「仕様がないじゃないか、いかんと云えばなんだかわしがその男を泥沼の底へ突落すことにでもなりそうな口振りじゃからの――えへん、だが引取る前に一度呼んでこい、わしがあってから……」
「もう来ております」

「――」


「お笛《ふえ》どの、こちらへ」

振返って呼ぶと、中庭の生垣《いけがき》の蔭《かげ》から一人の女が慎《つつま》しくそこへ立現われた、――磨《みが》き込んだ小麦色の肌《はだ》、切れ長のつぶらな眸子《ひとみ》、漆黒の余るような髪を武家風に結いあげた二十あまりの、眼覚《めざ》めるように美しい女である。いや勘兵衛驚いた。

「な、直次郎！」

「お笛どの御挨拶《ごあいさつ》をなさい」

直次郎は構わずに云った、「こちらがお話し申した伯父上です。お役目は福山藩十五万二千石の切盛をする国家老だが、お若い頃から江戸詰めで御苦労を遊ばしただけあって、酸《す》いも甘いもずんと噛分《かみわ》けておられる、この度もお許《もと》を引取って快く世話をしようと仰《おお》せられるのだ、よくお礼を申上げるよう」

「忝《かたじけの》う存じまする」

女は韻の深い声で、低頭しながら云った、「不束者《ふつつかもの》のわたくし、お慈悲に甘えてお世話さまになりまする、どうぞよろしゅう……」

「う、うん」

勘兵衛まごついて脇《わき》を向いたが、

「直次郎、ちっと来い」

と云って築山《つきやま》の方へ去った。直次郎は女へにこりと微笑《ほほえ》み、心配するなと云う眴《めま》ぜをしながら伯父の後を追った。——勘兵衛は近寄ってくる甥の面前へ華鋏《はなばさみ》を突出しながら、

「この野郎！」

と喚きたてた、「ならず者め、又してもわしをはめおったな、あれは何じゃ、女ではないかこの——」

「別に私は女でないとは申しませぬ」

「ないと云わんでも女でないと思わせるような風に云い拵《こしら》えたで——ええ面倒臭い、だいたい未《ま》だ妻帯もせぬ身上で、どこの何者とも知れぬ女を」

「いや承知しております」

直次郎は逃げ腰になりながら云った、「彼女は新町の小笛と云う芸者です」

「な、なに——芸者？」

「芸者は芸者ですが血統は武家の出で、どこへ出しても恥しからぬ」

「この野郎——っ」

いきなり勘兵衛が摑みかかった。直次郎はひらりと躱《かわ》して、咲きはじめた老梅の向

う へ廻《まわ》り込んだ、勘兵衛は苛《いら》って追う。

「待ちおれ！」

「どうぞ、お願いです伯父上」

直次郎は素早く逃げながら、「可哀そうな身上の女なのです、屋敷へ置いても決して牧屋家の不為《ふため》になるような事はありません、どうか面倒を見てやってください」

肥《ふと》っている勘兵衛は顔を赧《あか》くいきませながら懸命に追いかける、しかし若い直次郎の足に及ぶ筈《はず》がない、築山を三遍ばかり追い廻すと、息苦しくなって眼が眩《くら》んで、ぺたりと芝生の上へ尻餅《しりもち》をついてしまった。

「あ、危い！」

直次郎は駈寄《かけよ》って、「お怪我《けが》はありませんか、どこか痛めはなさいませんか」

「う、うるさい」

「水《ひや》を持って参りましょうか」

「放せ、ひ、水《ひや》など、要るか」

勘兵衛は肩で息をつきながら、「これまで、これまでにも、散々と苦いめを見せおって、また今度は、芸妓《げいぎ》を引取れ……福山十五万二千石の国老たるわしに、芸妓を引取れとは、貴様どこまで、どこまでわしの胆《きも》を冷やす気だ、この次はぜんたい何を持出してくるんじゃ」

「実はそれなんです」

「な、なに――?」

「拙者このたび、殿の御参覲《ごさんきん》に江戸表へ御供を仰付かりました。ついては一年の在番中お笛をお預けいたしますゆえ、お手許《てもと》にて篤《とく》と性質を御覧くだされ、拙者帰藩のうえ御得心が参りましたら妻に娶《めと》って頂きとう存じます」

「む――っ」

勘兵衛はいきなり眼鏡を毟《むし》りとった、そして両手で頭をひっ摑みながらそこへ踞《かが》みこんでしまった。

三

牧屋勘兵衛は、備中《びっちゅう》福山の城主阿部《あべ》伊勢守《いせのかみ》の国家老で七百石、頑固《がんこ》一徹なところから家中《かちゅう》の者に、

「牧屋の頑兵衛どの」

と綽名《あだな》されているが、一面また実に分りの良いところがあって、ことに若い連中には好《よ》い人気を持っていた。

数年前、妻のお信《しん》に先立たれ、また子がなかったので、江戸邸《やしき》に留守居役を勤めている弟、牧屋伝兵衛《でんべえ》の二男直次郎を引取り、行く行くはこれに跡目を継がせようと云うので、ずっと手許で育ててきた。――ところでこの直次郎がひと通りの青年でなかった、色白の美男で武芸もでき、学問にも秀《ひい》でているが、なにしろ眼から鼻へ抜けるような性質で、――十五万石をぐわんと圧《おさ》えている勘兵衛が、直次郎のためにはいつも見事な背負い投げを喰わされる。

「今度こそはごまかされんぞ」

と思うがそのたびにいけなかった。

そして、――このところしばらく痛事《いたごと》がないと思っていたとたんに、又しても「お笛引取り」と云う大罠《おおわな》に引懸ったのである。しかも……芸妓あがりの女を、嫁に娶ってくれというのだ。

「――何と云う面《つら》の皮の厚い奴だ」

勘兵衛も今度ばかりは茫然《ぼうぜん》となった。茫然となったがしかし、どこまでも「いかん」とは云わなかった、それには訳があるので――その訳は後に記すこととしよう。

直次郎は正月二十八日、主君伊勢守に従って江戸へ発足した。――出立する時、直次郎はたったひと言、

「伯父上、お預け申しましたぞ」

と云ったきりだった。勘兵衛は、

「よし預った、だが預った以上、万一不始末でも仕でかしたら、断りなしに斬《き》って捨てるから承知しておれ」

と云った。

勘兵衛のつもりでは、どうせ若い直次郎のことだから、妓の甘言に迷わされて、当座の熱をあげているのだろう、ぐらいにしか思っていなかった。妓もまた直次郎が牧屋家の跡継ぎであるというところに眼をつけたので、あわよくば国家老七百石の奥に直ろうと云う魂胆に相違あるまい、——とすれば一年の江戸在番を幸い、そのあいだに充分前後の処置をする事ができると考えたのだった。

お笛は屋敷内の西隅《にしすみ》にある直次郎の住居の、茶室造りになっている離室に起き臥《ふ》ししていた。——そこは前庭が四条流の風雅な泉石で、中庭の方の茶席とは別に、勘兵衛が時折自分一人の茶をたのしむ場所にしていたのである。

直次郎が発足して二三日たった、——ある日のこと、勘兵衛が盆栽いじりをしていると、離室の方からお笛が静かにやってきて、

「失礼ながらお手伝い仕《つかまつ》ります」

と云った。見ると甲斐甲斐《かいがい》しく袖《そで》をからげ、水桶《みずおけ》を携えている、――何をするかと思って黙っていると、盆栽の鉢を一つ一つ丁寧に洗いはじめた。

「そんな事をやったことがあるのか」

「いいえ――」

慎しく頭を振りながら微笑する、とても芸妓などしていた者とは思えぬあどけなさだ。勘兵衛はむっつりとしたまま、

「したくもない事を、機嫌執りのつもりでするなら止《や》めにせい、わしはおべんちゃらが大嫌《だいきら》いだぞ」

「あのう、ここに真柏の植わっております鉢は、白磁とか申す品でございますか」

勘兵衛の高調子には構わず、お笛は静かに振仰いで訊《き》いた。――勘兵衛は依然むっつりと外向きながら、

「白磁とか青磁とか、そう大雑把《おおざっぱ》に云われては敵わん、それは白磁の内でも『饒州《じょうしゅう》の白』と云って唐来の珍物じゃ」

「饒州の白……有難《ありがと》う存じました」

「こっちのを見い、これは古備前物《こびぜんもの》で了心の作と伝えられるが、比べて見ると違いが分るであろう、――どうじゃ」

「拝見仕りまする」

お笛は勘兵衛の手から楓《かえで》の鉢を受取って、しげしげと眺めていたが、

「やはり饒州の方が、同じ白でも色に深く澄んだところがござりまする」

「それを『白の秘色』と云う」

「肌目《きめ》の密な、手触りにじっくりと厚味のあるところも、やはり饒州の方が優れているように思われまする」

白魚を伸べたような指で、飽かず鉢の肌を撫《な》でている様は、どうやら軽薄な機嫌執りでもないらしい、勘兵衛はいつかすっかり誘いこまれていた。

「こっちへ参れ、薩摩《さつま》の青瓷《せいじ》を見せる」

「どうぞお願いいたしまする」

それからおよそ一刻あまり、勘兵衛は熱心に庭中お笛を伴《つ》れ廻っていた。

四

「どうもおれは人が好い」

その夜勘兵衛は後悔していた。

「彼女《あいつ》め焼物が分りそうな振りをするものだから、つい迂闊《うかつ》とひっかかった。こんな

事ではとても性根を摑むことはできん——今度からはごまかされぬ要慎《ようじん》をしてかかるぞ」

ひそかに固い決心をした。

その明くる日、下城した勘兵衛が庭へ下りてゆくと、お笛が小庭の方からやってきて、

「お帰り遊ばしませ、お疲れでござりましょう」

「——うん」

「お恥かしゅうござりますが粗茶を淹《い》れました、どうぞお立寄りくださいませ」

羞《はじら》いを含んで微笑しながら云う、勘兵衛は不機嫌に唇《くちびる》を結んだまま黙ってお笛の後から跟《つ》いていった。

部屋の内は塵ひとつ留《とど》めず、きちんと片付いた床に、古風な錆《さび》つ着きの鉄鉢に鮮かな「つるもどき」の紅と黄がはぜていた、——心憎い手並だ。

「——お口汚しでございます」

茶を淹れて出す、——見ると盆の上に香の物が添えてある。

「これは香の物だな」

「はい……」

勘兵衛は苦々しげに、

「町家は知らぬこと、武家では茶うけに香の物などと云う事はないぞ、他人が見たら牧屋の恥になる、そのくらいの所存はありそうなものではないか」

「心付かぬ事をいたしました、今後は注意仕りますゆえ、どうぞ御免くださりませ」

「折角じゃ、今日は引かずともよい」

そう云いながら箸《はし》を執る、一切口へ入れて勘兵衛が驚いた、恐ろしく旨《うま》いのである、妻が生きていた頃にも、かつて一度——これは旨いと思ったことのない香の物である、ことにこの数年はまるで漬物《つけもの》などに興味も持たなかったが、その一切は全く舌を驚かした。

「これはそちが漬けたか」

「はい、ほんの真似事《まねごと》に……」

勘兵衛は茶を代えながら、無理に気むずかしく空咳をして、

「話は違うが、いったいその方は直次郎をどう考えておるのか」

「——と仰せられますと？」

「直次郎はわしにその方を娶ってくれと申した」

お笛の頬にさっと紅がさした。

「察してはおろうが、武家と云うものは諸事格式の厳しいものだ。近来は商家から嫁を迎えるものもないではないが、それさえきわめて稀《まれ》なこと、――ましてその方のように、一度芸妓勤めなどした体では、正式の婚姻などなかなかむずかしい話だ。しかし……それとても神かけてできぬと云う訳ではない、ないけれども――直次郎はわしの跡目を継ぐ体、万一血統でも濁るような事があると先祖に対して申訳けがない」

「血が濁ると仰せられまするは？」

「稼業《かぎょう》がらその方の体が、今まで潔白であろうとは思われぬ、と申すのだ」

「――潔白でございます」

お笛は静かに眼をあげた、「十四で座敷勤めに出ましてから六年のあいだ、のっぴきさせぬ危い折も両三度はございました、――けれど、わたくし体だけは清浄に護《まも》り通して参りました、どうぞお信じくださいませ」

「だが、こればかりは証拠がないでの」

お笛はきゅっと唇をひき緊《し》めたが、

「失礼ながら」

と膝《ひざ》へ手を置いて云った、「貴方《あなた》さまには、お上を毒害してお家を横領しようと云う御野心がございましょう」

「な、なにを云う」

突然の事に勘兵衛は仰天して、「冗談も事によるぞ、この牧屋勘兵衛に逆心ありとは、ど、どこを指して申すのだ」

「では、――逆心なしと申す御証拠がござりましょうか？」

お笛は悪びれぬ調子で、「女の操《みさお》とても同じこと、この通り潔白と云ってお眼にかける証拠はござりませぬ、けれど卑《いや》しい勤めをしていたからと云うだけで、そのお疑いは悲しゅうござりまする」

「もうよいもうよい」

勘兵衛は驚いて、「顔に似合わぬ理窟屋《りくつや》だなその方は、いずれにしても真偽は顕《あら》われずにおらぬものじゃ、それまでその方の言葉を信じておるとしよう、――や、邪魔した」

茶椀《ちゃわん》を置いて起《た》つ、――気がついてみると、いつか小鉢の中の香の物をすっかり平げていた。勘兵衛はぶっきら棒に、

「この次も茶うけは香の物を頼む」

と云い捨てて照れ臭そうに立去った。

向うの気持を試みるつもりが逆に一本突込まれて、見事にやられた形である。それ

にしてもあの場合一寸も隙《すか》さず、即妙に応待した智恵《ちえ》は芸妓育ちの女などに似合わぬ鋭さ、——生れながらに目はしのきく性質か、あるいは世間ずれのした悪智恵か、

「まずそれを突止めてやろう」

勘兵衛は何やら頷《うなず》いた。

五

雨の日の午《ひる》さがりだった。

お笛の部屋から爪弾《つまび》きの三味の音に合せて、一中節《いっちゅうぶし》の渋い唄声《うたごえ》が嫋々《じょうじょう》と聞えていた、——珍しや、寛《くつろ》いだ勘兵衛がお笛に唄わせながら、さっきから独り盃《さかずき》をあげているのである。

勘兵衛に強いられて二三杯舐《な》めたお笛は、眼蓋《まぶた》のあたりをほんのり染め、どことなく体つきに嬌《なま》めかしさが匂《にお》っていた。

「まあ一杯あいをせい」

「もう頂けませぬ」

お笛は三味線を置いて、「こんなに頬が熱くなりましたもの、お酌《しゃく》をさせて頂きまする」

「そう云わずと呑《の》め、わしも久方振りで快く酔ってきた、もう唄は止めにしてこっちへ参れ」

「――はい」

素直に膝を寄せてくる、勘兵衛は酔眼を向けながら、

「芸妓の頃は小笛とか――云ったの」

「はい本名のお笛をそのまま」

「武家風に堅く粧《よそお》ってこのくらい美しいのだから、その頃はさぞあでやかであったろう。どれ……もっとこっちを向いてみい」

羞いながら、すこしも悪びれずに笑顔を向けるお笛。勘兵衛はつと手を伸ばすと、女のしなやかな手首を握って、

「遠慮はいらぬ、ずっと寄れ」

そう云いながら引寄せた。拒むかと思ったが、相手はそのまま――嬉《うれ》しそうにさえしながら膝をすり寄せる、むっと、鼻を撫でる温い肌の香。とたんに勘兵衛が、

「お笛！」

と鋭く云った、「人眼のない離室で酒をかこみ、例え直次郎の伯父ではあれ男のわしに、こう手を執られて拒まぬのみか、嬉しそうに体を寄せてくるその方の様子、

——それが今まで潔白に身を持してきた女の態度か」

ぎくりとしたお笛が、慌てて引こうとする手首を、勘兵衛は力任せに突放して、

「二三杯の酒に本性を出しおって、もう言訳は通るまいぞ、どうだ！」

「————」

お笛はそこへ両手を突き、面《おもて》を伏せたまましばらくは身動きもしなかったが、やがて静かに顔をあげて、

「恐入りました——」

と息詰るような声で云った、「始めからお謀《はか》り遊ばしたものなれば、今更何を申上げてもお取上げはなさりますまい、——けれど、ひと言だけ申上げまする」

「言訳なら聞くまでもないぞ」

「——ただお聞捨てくださりませ」

お笛は面を伏せて続けた、「直次郎さまからお聞及びかと存じまするが、わたくしは生れ落ちるとから父母の顔を知らず、元……屋敷に仕えていた松造《まつぞう》と申す男の許で育てられました。父は越前《えちぜん》家で馬廻りを勤めていましたとか、仔細《しさい》のほどは存じませぬが殿の御勘気を蒙《こうむ》って切腹、母も共に自害いたしたと——松造の話に聞くばかり、その後事情あって卑しい世界に身を堕しましても、一日半刻《はんとき》として亡《な》き父母を思わぬ

ことはございませんでした」

お笛はつきあげてくるものを抑えるように、しばらく声を呑んでいたが、

「武士の娘だ、父の名を汚《けが》してはならぬ、――どんな必至の場合にもこれだけは忘れず、そのために数えきれぬ苦しさ辛《つら》さを味いながら、操だけは汚さずに参りました。――こちらへ引取って頂きました日、お庭で貴方さまにお眼にかかりまするると、……どうしてか知らず、不意に貴方さまが父親のように思われ、今日まで良く清浄に身を守ってきたな――褒《ほ》めてやるぞ……と云われるような気がいたしまして、思わず嬉し涙に咽《むせ》んだのでございます」

「…………」

「御迷惑とは存じながら、盆栽のお手入れのお邪魔をいたしましたのも粗茶にお出《い》でを願って手作りのお笑草を差上げましたのも、不躾《ぶしつけ》ながら――ひそかに父と存じあげていたしましたこと、できることならお膝に縋《すが》って、たった一度でも父上さまと……甘えてみとうございました。それがつい嗜《たしなみ》を忘れさせ、いまのお戯《たわむ》れをそうと知る暇もなく、真の父に手を執られたように覚えて、前後も忘れた嬉しさ、思わず、思わず……」

それまで云うとお笛は、ついに堪らずそこへふっと泣伏してしまった。――勘兵衛

はいつか坐《すわ》り直していたが、くすんと鼻を鳴らすと、急いで妙な空咳をしながら、

「泣くな、泣くやつがあるか」

と執成《とりな》すように云った、「酒興の冗談を本気にされては困る、もういいから泣くのは止めにせい——そして、面倒でなかったら又あの漬物を出してくれ、肴《さかな》の口を直してもう一盞馳走《いっさんちそう》になろう、すっかり醒《さ》めたぞ」

「は、はい——」

咽びながら手をつくお笛の、顫《ふる》える肩先を見やった勘兵衛の胸に、覚えて以来かつて感じたことのない、ふんわりと甘く温い愛情が強く強くふくれあがってきた。

——またしてもわしの負けじゃ。

勘兵衛は独り明るく呟《つぶや》いた。

六

「——あれっ」

お笛は愕然《がくぜん》と振向いた。——有明行燈《ありあけ》の灯《ひ》を細くしていま寝衣に着換えようとしていた時、横手の小窓が外から引外されて、一人の男がぬっと跳込んできたのだ。

「誰、誰ですっ」

「騒ぐな、静かにしろ」

男は端折《はしょ》っていた裾《すそ》を下ろし、顔の手拭《てぬぐい》を脱《と》ると、

「おれだ、驚いたか」

と云いながらどかっと坐った。

「ま！　伝吉《でんきち》さん」

「それでも忘れずにいてくれたかい、へっへ……、おらあずいぶん探したぜ」

色の浅黒い、眉《まゆ》の上に疵《きず》のある、眼つきの卑しい男だ、福山城下で、「疵の伝吉」と云えば無頼仲間《わるなかま》でも通り者である。お笛が芸者に出た時分から跟けつ廻しつ云い寄っていたのだ。

「おめえの為《ため》にゃあ三年というあいだ、爪《つめ》を剝《は》がねえばかりにして貢《みつ》いでいたぜ、仲間にゃあ嗤《わら》われる世間は狭くする、あげくの果てにおめえはどろんときた。へ！　全くいい面の皮、鯉《こい》の滝登りだ」

男はぐいと膝を立てて、「だがの小笛、仲間の手前にもおらあ黙ってすっ込んじゃいられねえのだ、こうして探し出したからには、例え三日でも女房にしなけりゃ承知ができねえ、おめえだってこんな堅っ苦しい武家屋敷で、肩身の狭い妾暮《めかけ》しをするよりゃ、無頼でもれっきとした女房《にょうぼう》になるのが結句仕合せと云うものだ、まあ——そう

睨まねえでこっちへ」

「お帰り!!」

お笛はすっと身を退《ひ》いて叫んだ。

「身を剝ごうと爪を剝ごうと貢いだのはそっちの勝手、わたしの知った事ではありませぬ、このまま帰ればともかく、——さもないと人を呼びますよ」

「面白《おもしれ》え呼んでくんな」

伝吉はにやりと冷笑《わら》った、「おいらが生命《いのち》がけで惚《ほ》れた女を、横取りした奴の面が見てえ、呼びねえな、ええ呼んでみろ。——この女は私《あっし》の情人《いろ》でござんすと、そいつの前で立派に名乗ってやらあ、さあ呼ばねえか」

喚きながら、手を伸ばして抱きすくめようとする、お笛は危く遁《のが》れて、

「あ、あれ！」

と起った。とたんに、

「見苦しいぞ」

と叫びながら、意外にも縁先の雨戸を突外して、左手に大剣を提げた勘兵衛が現われた。——お笛はびっくり、とっさの言葉もなく立ちすくむ、

「貴様は何者だ」

勘兵衛はずいと踏込んだ。伝吉は太々《ふてぶて》しく坐り直して、

「私はその小笛の亭主《ていしゅ》でございます」

「なに亭主——？」

「亭主と申上げて悪ければ、まあ情人とでも申しましょうか、もう三年このかた夫婦同様の仲でございます、へい」

「嘘《うそ》、嘘です！」

お笛は必死に遮《さえぎ》った、「これはわたくしが勤めに出ておりました頃、厭《いや》がるものを跟け廻していただけの人、何の関係もございませぬ」

「冗談じゃねえ、今更そんな事を云ったって通るものか。現に旦那《だんな》——こうして寝所へ忍んでくるのも今夜が初めてじゃありやせん、実はこの小笛の手引で三日にあげず逢《あ》いにきているのでございますよ」

「まあ、よくもそんな空々しい」

「そういうおめえの方がいけっ太えや。なんだろう——そろそろ金のねえおいらに厭気がさしたので、こっちへ寝返りを打とうと」

「黙れ、黙れ！」

勘兵衛は大声に遮って云った。

「お笛、わしはその方を信じている、だが、――この場合はそれだけでは済まぬぞ、その方はやがて直次郎の妻にもなるべき躰《からだ》じゃ。相手は例え破落戸《ならずもの》にもせよ、不義があったと申すからには、武士の妻としてただないとだけでは通らぬ……よく落着いて所存を決めい」

「――はい」

お笛はじっと勘兵衛の眼を見上げた。

勘兵衛の心は烈《はげ》しく痛んでいた、あの酒の日からこのかた、勘兵衛は実の娘を一人儲《もう》けたように思われて、老いの身の朝夕、お笛を見るのが何よりの娯《たの》しみになっていたのだ、――しかし、嘘にもせよかかる無頼の徒に不義ありと云われて、虚実が判然せぬとすれば、一藩の国老を勤める家の嫁に娶る事はできない。

「どうだ！」

と面《おもて》に強くは云ったが、勘兵衛の心はいじらしさで燃えるようだった。

「申上げまする」

お笛は静かに答えた、「これはどのような事があっても他言はすまいと、かねてから誓っていたことでござりまするけれど、女が一生に一度の大事、恥を忍んで申上げまする」

伝吉は何を云うかと息を呑んだ。

七

「わたくしが不義をせぬ証拠は、直次郎さまとお馴《な》れ申して半年近く夫婦の約束までしながら未《いま》だ一度も閨《ねや》を共にした事がございませぬ――それは」

と言葉を切った。勘兵衛も伝吉も聞き遁《のが》さじと耳を傾けている。

「それは、わたくしの右の胸の、ちょうど乳房の下のところに腫物《はれもの》がございます、子供の頃から医者も薬も届く限りは手を尽しましたが、どのようにしても治らず、肌着が荒く触れても刺すように痛みまするし、自分にも耐えられぬようなひどい臭みを放ちまする、――そのため今日まで直次郎さまともひとつ閨に臥したことはございませんでした、ましてこのような人と……」

「へっへへへ何かと思ったら」

伝吉はせせら笑って、

「何かと思ったら腫物の事かい、そんな事なら改めて聞くまでもねえ、生命までもと惚れ合った仲で、腫物の臭みぐれえが何だ。旦那え――こいつあ大した内証事のように云ってますが、私あ今日までその腫物の薬塗りから、当て綿、巻き木綿の世話までしてきやしたよ」

「嘘です、腫物のある事さえ知る筈のないおまえに、薬の手当ができる訳はありません」

「だって現に世話を焼かしたじゃねえか」

「いいえ嘘です、おまえは愚か直次郎さまにも見せたことのない秘密です、何と云っても嘘に違いありません」

「強情だな、あの臭い膿《うみ》の始末までさせておいて、今になって嘘はひどかろうぜ、おらにあ着物の上からでも見えるくれえだ」

お笛はきっと勘兵衛の方へ振返って、

「伯父上さま、この男のいまの言葉――確《しか》とお耳にお止めくださりましたか」

「それでどういたすのだ」

「――御免くださりませ」

会釈《えしゃく》をしたと思うと、右手を袖から内へ入れる、意外にもいきなりするりと片肌を脱いだ。――血のような紅絹裏《もみうら》をぬいて、雪かと紛《まが》う柔肌が現われた。喉元《のどもと》から胸へ流れる、嬌めかしい丸みの極まるところに、梅の蕾《つぼみ》のような乳首をつけてふっくりと固く盛上る乳房――どこに一点の塵もなく、絖《ぬめ》のように艶々《つやつや》とした皮膚は、有明行燈の灯を受けて眩《まばゆ》いばかりに輝いた。

「御覧くださいませ、女が生涯の良人《おっと》に捧《ささ》げる大事な体、蚊にも刺させず大切にしてきました、腫物は愚か針で突いたほどの傷もない筈、——伯父上さま、御得心くださいましたか」

「見届けた、この痴者《しれもの》——」

勘兵衛が叫んで大剣を掴むのと、伝吉が蝗《いなご》のように跳上るのと同時だった。

「待てっ」

喚いて勘兵衛が足を出す、伝吉は、だ！　と躓《つまず》いたが、顚倒《てんとう》した余勢で自分から庭へ転げ落ちた、勘兵衛は縁先へ出て、

「生命冥加《みょうが》な奴め、明日とも云わず今宵《こよい》の内に立退《たちの》きおれ、さもないと眼につき次第斬捨てるぞ、ここな白痴者《たわけもの》っ」

と闇《やみ》に向って元気に呶鳴りたてた。——いや驚いたのなんの、さすが無頼の伝吉も胆《きも》を消して、飛礫《つぶて》のように屋敷外へ逃去ってしまった。

「あっぱれじゃ、よく機転《き》が利いたぞ」

勘兵衛は座へ戻ると大機嫌で、「どうなる事かとはらはらしていたが、あそこまで引込んでゆく手際《てぎわ》は立派な判官じゃ、じつのところわしまでが嵌《はま》りそうになったわ

い」

「お恥しゅうございます」

衣紋《えもん》をつくろったお笛は、羞《はじら》いに耳まで染めながらそこへ手を突いて、

「女だてらに肌を顕わし、何とも申訳ございませぬ、どうぞお忘れ遊ばして――」

「いいとも、外の時ならともかく、女の操を証《あか》す必至の場合、武士なれば腹を賭《か》けるところじゃ、――あいつめ、びっくりして煙のように消えおったわ、もう再び邪魔にはこまい、手柄《てがら》じゃ手柄じゃ」

勘兵衛は眼を細くして褒めたてる。お笛はますます身を縮めながら、わきあがってくる羞恥《しゅうち》を持て余していた。

「お笛を娶る事承知いたし候《そうろう》」

と勘兵衛は江戸の甥に手紙を書いた、「そこもと帰藩までには親許も定め置く可《べ》く、挙式は来春二月と予定仕り候。お笛こと、そこもとはただ若気の熱にて引取りしならんが、国老職を継ぐ可きそこもとの妻として二なき女たること、そこもとより拙者の方よく見抜きおり候――」

鑑識のあるところを示しておかぬと圧《お》しが利かぬ。

「また、そこもとはおのれ独り粋《いき》な妻を持つなりと己惚《うぬぼ》れているやも知れねど、そは馬鹿の独り良がりに候。今こそ打明け候、（驚くなよ）拙者の亡き妻、即《すなわ》ちそこもとの伯母お信こそ、拙者若くして江戸詰の折、執心にて娶りたる柳橋の名妓《めいぎ》に候。えへん――に御座候」

勘兵衛はどうだと云わんばかりに、つるりと額を撫でて結びにかかった。

「されど伯父、甥二代続いての芸妓妻、もうこの辺で打止める可く、そこもとの子には決して決して罷《まか》り成るまじく候……」

明けてゆく庭前で、鶯《うぐいす》が啼《な》きはじめた。

（「婦人倶楽部」昭和十二年一月号）

遊《ゆ》行《ぎょう》寺《じ》の浅《あさ》

一

わが寺になると出て行くお上人《しょうにん》、という川柳点がある。相州《そうしゅう》藤沢にある時宗《じしゅう》総本山の清浄光寺《しょうじょうこうじ》、俗にいう遊行寺《ゆぎょうじ》の上人を皮肉ったものだ。同宗では代々、その管長となる者は遊行他阿《たあ》上人の法号を継ぐと共に、一所不住、遊行権化《ごんげ》と云《い》って、有縁無縁の衆生《しゅじょう》を済度《さいど》するため、寺を出て廻国《かいこく》するのが宗則であった。近年はその例も稀《まれ》になったが、徳川末期までは盛んに励行され、その巡錫《じゅんしゃく》には幕府から十万石の格式が附せられていたという。……この事実は、宗教の多くが単なる墓守か、または経典の末節に囚《とら》われたスコラ派に堕していた時代に、一応実践的宗教の塁を守ったものとして注目すべきだと思う。……とにかくそうして民衆生活と常に接触していた結果、そこから生れた逸事佳話の類もまた少くはない。

遊行五十七代に一念上人という傑僧がいた、記伝は詳《つまび》らかでないが、天保《てんぽう》七年の関東大飢饉《だいききん》のとき寺財を抛《なげう》って窮民を掖済《えきさい》し、地方人から活仏《いきぼとけ》と仰がれたことは有名だ。現在はその跡だけしか遺《のこ》っていないが、同寺の西黒門はそのときの記念物だと伝えられている。

嘉永《かえい》四年の春、この一念上人が三回目の巡錫から藤沢山へ帰ったとき、その供のなかに一人の新発意《しんぼち》を連れて戻《もど》った。……年頃は三十から四十までのあいだで、小柄《こがら》の精悍《せいかん》な体つきと、眼の鋭い、ひとくせある面魂《つらだましい》をもった男であった。

「わしの新弟子じゃ」

と上人は塔中《たっちゅう》にひきあわせて、「野育ち者だからみんなで面倒をみてやってくれ」と云ったが、然《しか》し素性や名については一言の説明もなかった。

彼は本堂の茶《ちゃく》汲み番になった。口数の寡《すくな》い男だったし、どことなく底の知れぬ感じで、塔中の人々も殆《ほとん》ど親しく交わることが無かった。けれど彼は別にそんなことを気にする風もなく、朝は勤行《ごんぎょう》の始るまえに起き、寺男たちに率先して境内の隅々《すみずみ》から後架の掃除までやるし、客殿、方丈、学寮の雑務なども、手の及ぶかぎり自ら進んで用を勤めた。……中年から出家した者が最も苦心するのは経文の学習である。彼は殆ど読みも書きも出来なかったので、その困難は一倍だったに違いない、然し彼は克《よ》く耐え忍んで勉学し、数年のうちには経文も読め文字も書くことが出来るようになった。……是《これ》は一日の勤めが終ってから夜半に及ぶ余暇を利用したものであった。

山へ来て四年めに、彼は貞松院《ていしょういん》という塔中の一院を貰《もら》った。貞松院は遊行寺四ケ院の一で、久しく住持の席が明いていたのを、特に上人が彼に与えたものである。……然し彼が茶汲み番であることは依然として変わりがなかった。

二

貞松院の住持になってから、若い僧たちはもういちど彼に興味を持ちはじめた。

――一体あの茶湯番の前身はなんだろう、唯《ただ》の俗家の出ではないと思うが。

――あの眼つきは尋常でない、起居振舞《たちいふるま》いも歯切れがよすぎる。それに初めて山へ来たとき、お上人が名も素性も仰有《おっしゃ》らなかったのを考えると、どうも日蔭者《ひかげもの》にちがいないと思う。

――まさか、それほどでもあるまいが。

そういう噂《うわさ》が屢々《しばしば》繰返された。

彼は用事以外には誰とも殆ど口を利《き》かなかった。山を下りることも珍しいし、町へ出ることなど極めて稀《まれ》にしかなかった。それが考えように依《よ》っては、如何《いか》にも世間の眼を怖《おそ》れるように見えるので、穿鑿《せんさく》好きな人々には益々《ますます》興味を惹《ひ》かれることになったのだ。

或《あ》る日、……彼が貞松院の門前で落葉を掃いていると、参詣《さんけい》に来たと思える一人の女が、静かに側《そば》へ近寄って、「お久しぶりでございます」

と腰を跼《かが》めながら声をかけた。

竹箒《たけぼうき》を持ったまま振返った彼は、女の顔を見るなりあっ、と低く叫び声をあげた。

……女は三十歳あまりで、肌理《きめ》の密《こまか》な、どこかしら研いだような美しさのある顔つきであった。髪つきや身装《みなり》は、地味に作りながら却《かえ》って粋《いき》な、明かに堅気でない風俗がにじみ出ていた。

「去年から藤沢へまいってます」

女は静かな声で続けた。

「廓《くるわ》の裏で『小浅』という小さな店をやって居《お》ります。云うまでもないと思いますけれど、わたくし独りで、……小女《こおんな》を三人ほど使っていますの、若《も》しも、……」

「七年まえに約束をした筈《はず》だ」

彼はぶすっと云った。

「浅は死んでしまった、縁は切った、どこで会っても赤の他人だ。……あのときの約束を忘れたのか。私は……おまえさんなどは知りません、人違いをしないで下さい」

「忘れはしません、その証拠には」

と女は悲しげに、呟《つぶや》くように云った。

「あなたがいいと云うまで、決して是からは話しかけたりはしません、ただ親分さまの御冥福《ごめいふく》のため月々の御命日には参詣にまいります、その日だけ御無事な姿をよそながら見ることを堪忍《かんにん》して下さいまし」

「方丈は向うの銀杏《いちょう》の木の右でございます」

彼はそう云うと、もういつもの澄んだ表情になって落葉を掃きながら去った。

この様子を学寮の一人の若僧が見ていた、話し声は聞えなかったが、二人の様子でただの参詣人と寺僧との対話でないことは察しがついた。

噂は人々のあいだに弘《ひろ》まった。

そして直《す》ぐ誰かが女の身元を調べにかかった。女は町の『小浅』という料亭《りょうてい》の女将《おかみ》でおつまという名だった。そのとき彼女は遊行寺の檀家《だんか》になり、はじめ志す仏の永代供養《くよう》料として三十両納めてから、毎月二十一日には必ず参詣して、看経法要《かんきんほうよう》を頼むのが例になった。

彼女からなにか聞き出そうとして、若い僧たちは色々と苦心したが、結局なにも知ることは出来なかった。……おつまは貞松院の彼についてはまるで知らぬ人だと云った、そして自分の身上に話がくると、

「そうですね、是でもひと昔まえには」

と遠くを見るように、うるんだ眸子《ひとみ》を細くしながら云った。

「命を捨ててもいいと契《ちぎ》り合った人がありましたわ。……もう死に別れて七年になりますけど、……いいえ、二十一日の命日はその人のじゃありませんわ、あたしとその人の恩人の御命日なんです」

「其《そ》の人というのが貞松院ではありませんか」

「おや、とんだ浮名《うきな》儲《もう》けだこと、あのお住持さまはそんな粋な方なんですか」

そう云って笑うおつまの表情はどんな穿鑿眼をもはね返す冷やかさを持っていた。

——然しいまになにか起る。

人々はそう思っていた。

その二人が若し古い恋人同志であったのなら、いまに必ず底を割る日が来るに違いないと思っていた。然しその期待は外れた。それから後も貞松院の様子は些《いささ》かも変らず、おつまも二十一日に参詣する他《ほか》は山へ近寄りもしなかった。……その定った日にさえ、おつまは他の僧たちにするのと同じ会釈《えしやく》を彼に与え、彼もまた檀家に対するひと通りの挨拶《あいさつ》しか返さなかった。

遊行寺では毎年秋九月に宝物の風晒《かぜさらし》を行い、信者たちに展観する習慣があった。

……その年の風入れが始って二日めのこと、貞松院の彼が夜になって一念上人をそっと訪れた。

「なにか用事か」

上人は炉端で書物を読んでいた。……彼は近くに人のいないことを慥《たし》かめて来たのだが、それでもなお、声をひそめて云った。

「今日はじめて、御宝物の数々をよく拝見いたしました」

「……それで」

「黄金の香炉は結構なお品でございますな」

「うん、あれは信者の寄進でな、その頃で三百金ほどかかったものだそうじゃ、もう百年来寺の宝物になって居る……」

「時にはお用いあそばすのですか」

「いやとんと使わんじゃろ」

上人は書物の頁《ページ》をはぐった。……彼はずっとひと膝《ひざ》進んだ。

「お上人、然しあの香炉は、人の眼につかぬところへ納《しま》って置く方が宜《よろ》しいと思いますが、……大抵は有難《ありがた》がって拝見していましょうが、中には眼の利く参詣人も居りましょうから……」

「眼の利く人間がいては悪いか」

「お上人、……若しあれが、金衣《きんき》せの偽物《にせもの》だということが知れましたら、寺の名にかかわるかと存じます」

一念上人は黙って書物を置いた。

三

彼は上人の言葉を待っていた。然し上人は火箸《ひばし》を取って切炉の火を直しながら、暫《しばら》くのあいだなにも云わなかった。

「天保七年にはえらい飢饉があったのう」

忘れた時分になって、上人はまるで見当の外れたことを云いはじめた。

「関東一帯の困ったことは非常なものじゃ、この附近でも百姓といわず町人といわず、親子が離散する、家は潰《つぶ》れる、食う物はなし、まことに酸鼻な有様であった。……わしも寺が出来るだけの事をしようと思ったが、なにしろ貧乏寺のことで思うだけが精いっぱいじゃ、そのとき南の黒門を建てて居ったがの、その地行《じぎょう》の縄《なわ》に手を触れた者には施米《せまい》をするという定で、そうさの、寺米の他に凡《およ》そ三千俵ばかりも施しをしたじゃろか」

「それではお上人、そのとき香炉を……」

「貧乏寺でお米を買うには弱ったよ」

一念上人は灰を掻《か》きながら云った。

「なにしろ相談をすれば、寺の宝物だで役僧や檀家が承知すまいしの。百年寝かし物が役に立てば、若し露顕してもこの一念が悪名を衣《き》れば済むことじゃでのう……」

「よく分りました」

彼は両手をついて云った。

「私はまるで別のことを考えて居りましたので、念のためお上人の御意を得たのでございます。左様なお役に立ったのなら、香炉もさぞ本望でございましょう、……決して他言はいたしませんが、事実を知ったら世間の人々はさぞ」

「さぞ一念を悪く云い居るじゃろ」

上人はけらけらと笑って云った。

「喉元《のどもと》過ぐればなんとやら、寺宝まで売らずとも法は有ろうにとのう。……だから此《こ》の話はおまえにするのが初めの終りじゃ。聞かぬ積りで内証、内証」

彼は黙って上人の眼を見上げていた。

宝物の風入れもあと一日で終るという日のことであった。……彼が貞松院へ夕食をとりに帰ると間もなく『小浅』の女将おつまが訪れて来た。

　彼は玄関へ出て行くと不愛想な口調で、

「なにか御用でございますか」

　と云って女を睨《にら》んだ。

「お知らせ申したいことがございまして、内密のことでございますが……」

「此処《ここ》で伺いましょう」

「でも人にみつかっては困るのです」

　女は思い詰めた眼で屹《きっ》と彼を見上げた。……その表情を篤《とく》と見て、彼は先に立って横庭へ廻《まわ》った。

「用事だけ聞こう、なんだ」

「隠坊《おんぼう》の辰《たつ》というのを覚えておいででしょう」

「それがどうした」

「午頃《ひるごろ》から四人伴《づ》れで来た客の一人があの男なんです、若しやお前の前身を嗅《か》ぎつけて、強請《ゆすり》にでも来たのではないかと思ったから、そっと話の様子を聞いていました。……そうしたら、その男たちは今日、お山の御宝物を拝見して来て、金の香炉を見たのです」

「それを盗みにでも入ろうというのか」

「隠坊辰がどんな男か御存じでしょう、盗みをしたり押込《おしこみ》に入ったりするのが知れて、親分さまから縁を切られた男です。その辰の他に三人、みんな相当に名の売れた悪党らしゅうございますから」

「来るとすれば今夜だな、明日になれば御宝庫は閉まる……」

「あの男たちもそう申していました」

「……よく知らせて呉《く》れた」

彼は初めてその顔色を柔げた。

「お上人に、いや……寺にとっては大事な宝物だ。万一のことがあってはならぬから直ぐ手配をしよう、有難う」

「浅さん！」

女は思わずそう呼んだが、振返った男の眼が再び険しい色に変ったのを見ると、悲しげに面《おもて》を伏せ、会釈をして立去った。

彼は夕食を済ませると、別に手配をする様子もなく、茶を啜《すす》ったり割箸を削ったり（客用の箸は彼が自分で作っていた）、平常と少しも変らぬ刻を過したが、十時《よつ》の鐘を聞くと立上り、黒い頭巾《ずきん》で頭を包みながら外へ出た。

墨染の衣に黒い頭巾、そのうえ闇夜《やみよ》だったから忍ぶには屈竟《くっきょう》である、……秋九月十九日、今に直すと凡そ十月下旬であろう、さすがに夜気は冷えて、境内の大銀杏はもうはらはらと散りはじめている、彼はその大銀杏の樹蔭《こかげ》に身をひそめた。

四

午前一時、……南黒門の土塀《どべい》を乗越えて、次ぎ次ぎと四人の男が境内へ入って来た。彼等は忍び装束で強盗提灯《がんどうちょうちん》を持ち、腰には長脇差《ながわきざし》を帯びていた、諸坊はすでに寝鎮《ねしず》まって広い境内には落葉の音が微《かす》かに聞える許《ばか》りだった。……四人は本堂の前を横切って宝庫の方へ去った。

大銀杏の樹蔭にいた彼は、それを見届けてから静かに跟《つ》けて行った。

宝庫へ着いた四人は、巧みに扉《とびら》の鍵《かぎ》を破ると、一人を外に残して置いて中へ入った。かなり時間がかかった、風がつのって来て、山の松が蕭々《しょうしょう》と鳴きはじめ、乾いた音を立てて頻《しき》りに落葉が飛んだ。

やがて三人が出て来た。

「みつかったか」

「この通りだ」

一人が持って来た小箱を示した。

「それだけか、なにか他にも金目な物があっただろう」

「絵巻物や天狗《てんぐ》の爪《つめ》じゃあ仕様がねえ、下手な物を持出すと足がつくからな、なにこの香炉ひとつでも千両ものだぜ」

『一遍上人《いっぺんしょうにん》絵巻』は現在国宝に指定されているし、『天狗の爪』というのは『鬼鹿毛の轡《くつわ》』などと共に寺の珍蔵であったが、彼等の手には負えぬ品に違いない。……四人が元の方へ引返そうとしたとき、

「……誰だ！」

という叫声がして、学寮の方から人の走って来る足音が聞えた。

四人は踵《きびす》を返して走りだした。

「ああ、御宝庫の扉が……」

「泥棒《どろぼう》だ！」

二三人の絶叫が聞えた。そして提灯の光が闇を縫って左右へ飛んだ。

賊たちは南へは戻らず、本堂の裏へぬけ、小栗堂《おぐりどう》の山越しに東海道へとび出した、……切通しの急な坂道である。彼等はものも云わずに駈《か》け続けたが、坂を登りきると共に、右手の丘へ登って息をついた。……四人とも暫くは口も利けぬほど荒々しく喘《あえ》いでいた。

「しろものは大丈夫か」

「それにぬかりがあるものか、……この通りちゃんと御安泰だ」

「明日は横浜へ出て早いとこ……」

云いかけた男が恟《ぎょっ》として口を噤《つぐ》んだ。

眼前にぬっと立った男がある、……四人は一瞬あっけにとられて見上げたが直ぐに危険を感じた一人が、抜打ちにやっと叫びながら斬《き》りつけた。……然し相手は待受けたもののように、体を左へ開きざま、斬込んで来た男の利腕《ききうで》を取ると、素早く廻りこんでやっと背負投げを食わせた。……賊は悲鳴と共に丘の下へ転げ落ち、彼は捥奪《もぎと》った長脇差を右手にして、

「騒ぐな隠坊辰、己《おれ》の面《つら》を忘れたか」

「な、なにを」

「よく見ろ、この面は忘れちゃあいねえ筈だ」

「誰だ、……声にア覚えがある、誰だ」

「押込をするくらいでも闇夜じゃ眼が利かねえか、田部井の代官屋敷へ斬込んだときに、命拾いをしやがったのは誰のお蔭か考えてみろ」

「あ！　板割りの兄哥《あにい》」

辰と呼ばれた男は愕然《がくぜん》と声をあげた。

「そうよ、板割りだ、国定忠治の身内、板割りの浅太郎だ。そうと知ったら文句はねえだろう、……その香炉を此方《こっち》へ出しねえ」

「へえ、……へえ」

「それとも叩《たた》っ斬って取ろうか」

ぎらっと、抜身を持直されて、三人はそのまま、枯草の上へ額をすりつけた。

それから半刻の後である。

板割りの浅太郎と名乗る彼は、小栗堂の裏山でせっせと土を掘り、黄金の香炉を深く埋めた。

「これで当分は大丈夫だ」

彼は低い声で呟いた。「人が見たら蛙《かえる》になれか、そのうちすっかり始末をしてやるぞ、おめえがうっかり世間へ出ると、迷惑する人がおいでなさるからな、こう成仏《じょうぶつ》する方がおめえにしても安心だろう、南無阿弥陀仏《なむあみだぶつ》、南無阿弥陀仏……」

誰も知らぬことであった。

宝庫から黄金の香炉が盗まれたということは、寺の役僧と檀家の重立った人々にしか知らされなかった。……そして或る日、貞松院の彼は一念上人に向ってこう云った。

「あの香炉はもう世間へ出ることはございません。そのうちに江ノ島沖の海底へでも沈むことでございましょう」

上人は黙って頷《うなず》いたきりだった。

貞松院は天寿を全うして、七十余歳で遊行寺に死んだ。……『小浅』のおつまはそれより数年まえに先立っている。赤城《あかぎ》山で有名な国定忠治の子分、板割りの浅太郎がどうして一念上人に救われたか、おつまとはどんな関係があったのか、残念ながら伝わっていない。……彼の墓はいま遊行寺境内、貞松院の跡に残っている。

（遊行寺四ケ院代吉川清氏の資料に拠《よ》る）

（「キング」昭和十五年十二月号）

夜明けの辻

一の一

功刀伊兵衛《くぬぎいへえ》がはいって行ったとき、そこではもう講演が始っていた。二十畳と十畳の部屋の襖《ふすま》を払って、ざっと四十人ばかりの聴講者が詰めかけていた……下座の隅《すみ》に坐《すわ》った伊兵衛は、側《そば》にあった火桶《ひおけ》を脇《わき》のほうへ押しやりながら、静かに周囲《まわり》を見廻《みまわ》した。

この家の主人、国家老津田頼母《つだたのも》をはじめ、豊道左膳《とよみちさぜん》、笠折吉左衛門《かさおりきちざえもん》、河村将監《かわむらしょうげん》らの老職の顔もみえたし、こんな人がと思われる老人や、また学問などとはおよそ縁の遠い、紙屋十郎兵衛《かみやじゅうろべえ》、斎藤孫次郎《さいとうまごじろう》、小林大助《こばやしだいすけ》などという、若手の乱暴者たちもいた。それからもっと異様な風景だったのは、下座の隅のほうに、婦人たちが四五人熱心に傾聴していたことである。

ここは国家老の家で、二十畳の部屋には上段が設けてある、講演者はその上段のすぐ下のところに端然と坐り、机の上に書物を披《ひら》いて講演していた。

——これが山県大弐《やまがただいに》か。

伊兵衛は手を揉《も》みながらじっと見た。

年齢は三十五六か、どちらかというと小柄《こがら》のほうだし、骨組もあまり逞《たくま》しくはないが、高くて広い額と、やや大きめな唇許《くちもと》と、それから深い光を湛《たた》えている静かな、澄んだ双眸《そうぼう》が、いかにも意志の強さを表しているし、またどこかに人を惹《ひ》きつける柔かい魅力を持っていた……。

伊兵衛は少しまごついた。彼が想像していた人柄とはだいぶ違うのである。もっと狷介《けんかい》な闘志満々たる態度と、舌端火を吐く熱弁家だと思っていたが、見たところ恰幅《かっぷく》はまるで村夫子《そんぷうし》然としているしその声調もひどく穏やかで、ちょっと座談でもしているような印象を与えられる……伊兵衛が坐ったとき、講演者はふと思出したように、

「申し後れましたが、どうぞお楽に」

と片手をあげながら云《い》った。

「べつにむつかしい講議をしているわけでもありません。固苦しくされるとかえって気詰りですから、みなさん火桶の側へ寄って楽にしてください。今宵《こよい》はまたひどく冷えるようですが、御当地はいつもこういう陽気でございますか」

「御覧のごとく山国でござるから」

頼母が誘われるように和やかな調子で云った。

「霜月に入ると寒気が厳しくなります。榛名《はるな》、赤城《あかぎ》と真向から吹颪《ふきおろ》すのが、俗に上州

風と申して凛烈《りんれつ》なものでござります。拙者どもは馴《な》れておりますが先生には御迷惑でござりましょう」

「ひどくまた今宵は冷えまするな」

「雪にでもなるか知れませぬ」

老職たちも急に肩の凝のほぐれたような、ほっとした調子で互いに頷《うなず》き合った。

一座の雰囲気《ふんいき》が楽になるのを待って、講演者はまた静かにつづけだした……そのとき初めて伊兵衛は、広間の外の廊下にも聴衆がいるのをみつけた。燭台《しょくだい》の光がそこまではよく届かないので、いちいち顔は分らないが、軽輩のなかでも年少の者たちのようだ。婦人たちがいたり、身分違いの軽輩がいたり……講演者の希望か国老の発意か、いずれにしてもこういう席にはかつてない、型破りなものである。

「……さて得一と申すのは」

講演者の眼が静かに一座を撫《な》でた。

「すべて道の治るところ一なりという意味であります。天に二つの日輪はない、大地の他に大地はない、万民の君たるべきものまた一であります。忠臣は二君に事《つか》えず、烈女は二夫に触れず……これを得一と申します。天下の理はかように一を得て初めて泰平といたしますが、世が衰え紊《みだ》れる時にはこの理が崩れてくる。婦女は貞節を忘れ、士は二君に事えて恥《は》じず、禄《ろく》と位《い》とその本源を二つに分つ。これによって名を好むものは彼につき、利に好むものはこれに従う。名利と情慾《じょうよく》と相分れてついには乱世となるのであります。禄位その本源を分つと申しました。これを当代にたとえてみますと、ただ今の幕府は征夷《せいい》大将軍として天下を一統しており、また諸国の大小名に秩禄を与えておりますが、これは侯伯士太夫の爵位《しゃくい》を授けることはできません……恐れながら、朝廷におかせられては、爵位をお授けあらせらるることはあっても、秩禄をお与えになることはおできにならぬ。征夷大将軍ですら、禁裏の宣下《せんげ》あって初めて存在するものです。たとえ何百万石源氏の長者の威勢をもってするも、宣下なくして大将軍の位はありません。禄位その本源を分つとはここを申したものであります。天下の理一をもって全しとする、その第一がすでにかくのごときありさまでは、名利と情慾とあい分れ、風俗人倫の紊乱《びんらん》することもまた、避けがたきところであります」

そのとき講演者の眼が燐《りん》のような光を放つのを、伊兵衛は、はっきりと見た。

一の二

「やあとうとうやってきたな」

「……しかも粉雪だ」

「これは積るぞ」

講演が終ったのは夜の十時、外はいつか霏々《ひひ》たる雪になっていた。

誰よりも先に津田邸を出た伊兵衛は、長屋門のはずれのところで、武者窓の庇《ひさし》の下に雪を避けながら、出て来る客たちを見送っていた。……門前で左右に別れた人々は、合羽を衣《き》たり、津田家の貸し傘《がさ》をさしたり、さまざまのかっこうで散って行った。そしてやがて人影のとだえた時分、来栖《くるす》道之進《みちのしん》が傘で吹きつける雪を除《よ》けながらやって来た。

「おい待っていたぞ」

伊兵衛はそう呼びかけながら、庇の下から出て行った……振返った道之進の白皙《はくせき》の面《おもて》が、積り始めた路上の雪明りを受けて青いように見えた。

「なんだ来ていたのか」

「来たさ、約束だもの」

「待っていたが見えないから、もう来ないものと思っていたよ。初めから聴いていたのか」

「火桶の側へ寄れというところから聴いた」

伊兵衛はちょっと皮肉に笑った。

「なにしろとまどいをしたよ。国老がいるかと思うと足軽がいる、おまけに女客まで同席ときた。講演者はまた気楽にしろの火桶を抱えろのと如才がない。大弐という先生がどれほどの学者か知らぬが人気とりにかけてはすばらしい気転だぞ」

「悪い癖だ。貴公はどうかするとひどく捻《ひね》くれた見かたをする」

「そいつは言過ぎだぞ、捻くれた見かたというのは誹謗《ひぼう》だ。拙者は真っ正直で口に飾がない。それだけのことだ。心はいつもさっぱりと割切れているんだ。さっきの講演にしても……大弐どのは立派な経綸《けいりん》を吐いているのだろう。なにも寒さに気を使って火桶の心配まですることはないはずだ」

「それが貴公の悪い癖だというのだ」

「またそいつか、癖だと云われてしまえばそれまでさ。しかし道之進」

伊兵衛は次に出る言葉が、どんな重大な意味をもつかということをまるで気付いてもいないふうに云った。

「あの大弐どのは殺されるぞ」

道之進はぎょっとしたようすで振向いた。

伊兵衛は唇尻に微笑を湛えながら、なんだという表情で見返していた……年齢はまだ二十五であるが、道之進は出頭の近習番《きんじゅばん》として家中《かちゅう》の人望を一身に集めている。国詰でありながら召されてしばしば江戸へ出府するくらい、藩主美濃守信邦《みののかみのぶくに》にも寵愛《ちょうあい》されている。

これに対して功刀伊兵衛は、家柄こそ藩の老職格であり、一枚流の剣では随一の名をとってはいたが、家中の評判はあまり好ましくなかった。彼は『曲軒』という綽名《あだな》をもっている……ともするとなにかひと理窟《りくつ》こねるし、異説を建て、人と和する法を知らない。つまり臍《へそ》が曲っているというくらいの意味である。彼にすれば付合をもよくしたいし、あえて異説を唱えるつもりもない。要もない理窟などはこっちが御免なくらいである。それにもかかわらず、彼が一言なにか云えば捻くれた理窟になり、すこし自分の意見を述べると異説を建てると云われる。

——勝手にしやがれ。

と思うが平気でないのは事実だ。

人望を集めてめざましく出世する道之進と、こうして人好きのしない、どこかぎすぎすした伊兵衛とを、一緒に結びつけている友情は奇妙なものだった……伊兵衛は道之進が嫌《きら》いである。道之進も伊兵衛などは眼中にないと思っているらしい。しかも二人は奇妙にあい惹かれるものを感じていた。

もっとも面白い一例をあげると、伊兵衛には佐和《さわ》と呼ぶ妹が一人あった。とびぬけた美人とは云えないが、家中では才媛《さいえん》の評が高い。それでもう十六七の時分から縁談をいろいろと持込まれた……中には母親のひどく気に入った話もあったが、伊兵衛は承知しなかった。

——拙者には亡《な》き父上に代って責任があるから。

そう云ってみんな断ってきた。それが半年ほどまえ国老津田頼母を介して道之進から申込むと、待ってでもいたように承諾した……つまり道之進と佐和とはいま許嫁《いいなずけ》の間がらであり、二人はやがて義理の兄弟になるべき関係にあった。

「貴公なにを云うつもりだ」

道之進は相手の眼を見入りながら云った。

「大弐どのは殺されると云ったよ」

「どうして、山県先生がどうして殺されるのだ。誰が殺すと云うのだ」

「誰が殺すかと云えば大弐どのさ」

「…………」

「山県大弐は自分で自分を殺すよ」

一の三

「伊兵衛、それは貴公の意見だな」

「これが拙者の悪い癖かも知れぬ。拙者は物ごとを捻くれて見るかも知れぬ。しかし大弐どのの説は叛逆《はんぎゃく》の罪に当るぞ」

「馬鹿なことを」

雪の密度が濃くなった。

二人は互いの屋敷へ別れる路上へ来ていた……すっかり寝鎮《ねしず》まった武家屋敷はしんかんと音もなく早くも一寸あまり積った雪で、通り馴れた街辻《まちつじ》がまるで見知らぬ他国へ来たような印象を与える。……道之進は立止って、

「山県先生の説が新奇だということは認める。在来の学者たちがかつて触れたことのない、多くの重要な問題をとりあげているし、その説く方法も型破りな点が多い。けれど先生の論理は非難さるべきいささかの不条理もないはずだ」

「本当にそう思うか、拙者の云うのは言葉じゃないぞ。言葉は人間が拵《こしら》えたものだ。どうにでも取繕ったりごまかしたりすることができる……しかし言葉の裏にある本心はごまかせない。拙者は大弐の説がなにを暗示しているか見抜いているんだ」

「それはひとつ聞きたいな。貴公が山県説の核心を摑《つか》むほど、学識の深い男とは気がつかなかったよ」

明らかに嘲笑《ちょうしょう》である。腕力はべつだがそういう議論になれば、どう発展しようと道之進は勝算を持っている。伊兵衛くらいの頭で組立てられた理論なら、それが正当であろうとなかろうと即座に叩《たた》き潰《つぶ》す自信があるのだ。

「いやよそう」

伊兵衛は口惜《くや》しそうに云った。

「……拙者の意見など貴公にとって三文の値打もないだろう、拙者も貴公を説得したいと思わぬ。ただ今夜これから帰ってよく考えてみてくれ、大弐の得一篇の説は危い。すくなくとも我々武道を第一とする者にはおそろしく危険だ」

「考えろと云うなら考えてみよう。拙者にはそれほどむつかしい説とは思われぬが」

そう云う道之進の眼を、伊兵衛は疑わしげに見戍《みまも》っていたが、やがてその唇尻にふたたびそっと微笑を刻みながら、

「おい道之進」

と急に明るい声で云った。

「貴公はかなり秀才なくせをして、まるで嘘《うそ》のように愚鈍なところがあるのを知って

いるか」

「人の見かたにはいろいろあるよ」

「そう安心していられれば仕合せだ。いい夢を見たまえ」

道之進の傘からとび出して、雪のなかを伊兵衛は大股《おおまた》に駈《か》けて行った。

夜のうちに二尺も積った雪が、朝になってもまださかんに降っていた……起きるとすぐ、裸で井戸端へとび出した伊兵衛は、健康な二十六歳の逞しい体へ、釣瓶《つるべ》からざぶざぶと水を浴びた。まだ早いのであろう、裏庭にある家士《かし》長屋も雨戸が閉っているし、いつもすぐとび出して来る飼犬の『もじゃ』も姿を見せない。

「……ひとつ、出掛けるかな！」

手拭《てぬぐい》でごしごし、力任せに肌《はだ》を擦《こす》りながら、伊兵衛は雪に煙る鬼鉾山塊を見やった。

雪に折敷かれた笹《ささ》の道や、氷柱《つらら》の結ぶ崖下《がけした》の穴や、それから吹溜《ふきだま》りに蠢動《しゅんどう》する熊《くま》の背などが、心を唆《そそ》るように眼にうかぶ……熊がどの穴からどの道を通るか、鹿《しか》はどっちからどの林へ追込むか、伊兵衛には自分の掌《てのひら》のものを見るように分っている。

「鹿の肉でみんなを呼ぶのも悪くないぞ」

「なにを独言をおっしゃってますの」

いきなり後から呼びかけられて伊兵衛は振返る拍子に釣瓶へ頭をうちつけた。

佐和が縁側で笑った。

「なんだ、急に大きな声を出しゃあがって、びっくりするじゃないか」

「またそんな下品なお口を」

妹は威《おど》すように奥へ眼をやった。

「もう母上もおめざめですから」

「おまえが驚かすから悪いんだ。なんでも母上とさえ云えばおれがへこむものときめてる、もうおれだってそんな年齢《とし》じゃないぞ」

「……伊兵衛」

向うで母親の呼ぶ声がした。

「そんなところでなにを威張っているのです。早く着物を着てお入りなさい。風邪をひいたら外出は禁じますから」

「はい、ただ今あがるところです」

佐和は可笑《おか》しそうに肩を竦《すく》めながら、慌《あわ》てて水口へ跳んで行く兄の姿を見送った。

伊兵衛は猟が好きである。

また上州小幡《おばた》という土地が狩猟にはもってこいのところで、季節になれば熊、鹿、猪《いのしし》、猿《さる》などが多く出るし、兎《うさぎ》などは子供でも猟《と》れるほどいる……亡き父親の伊右衛《いえ》門《もん》が猟好きで、鉄砲も良いものを持っていたし、また体を鍛える意味で幼少の頃から伊兵衛を伴《つ》れて歩いたものである。だからこの付近十数里の猟場なら、彼は本職の猟人よりずっと精《くわ》しく知っていた。

——ひとつ出掛けようか。

と云ったのは、むろん銃猟に出掛けようかという意味だ。しかし母親の喜和《きわ》は猟嫌いだった。良人《おっと》がいちど猟さきで誤って犬を射殺して以来、彼女は猟と聞くだけで色を変えるほど嫌いだった。

「……なんと云って許してもらおう」

着物を着ながら、伊兵衛は遊びに出掛ける少年のように、真面目《まじめ》になって思案していた。

一の四

ちょうどその頃、鬼鋒山へ登る道で、主従と見える二人の男が膝《ひざ》を没するほどの雪に悩んでいた。

一人はゆうべ国老の邸《やしき》で講演していた山県大弐である。従者は二十二三と思える小柄な青年で、瘦《や》せた少し前踞《まえかが》みになった肩と、反対に仰向になっている頭とがちょっと異様な印象を与えていた。

「東寿《とうじゅ》……歩けるか」

大弐は足を止めて振返り、笠《かさ》をあげながら呼びかけた。

「悪い日に来た。こんなではないと思ったものだから津田どのの止めるのを振切って来たが、どうもこれではおまえには無理だった」

「もったいない仰《おお》せ、わたくしは血気の体でございます。足が遅くて申訳ございませんが、少しも難儀ではございません」

そう云って振仰いだ青年の顔は、両眼とも盲《めし》いていた。頭の坐りの異様なのは彼が盲人だったからであった。

「意地を張らずに帰れと申したいが、ここまで来てしまってはそうもならぬ。我慢してみるか」

「その御心配では辛《つろ》うございます」

東寿と呼ばれる盲青年は、盲いた眼をかなしげに、大弐のほうへ振向けながら云った……言葉つきにも、振向けたその表情にも、知らぬ者だったら、恐らく冷たい手で心臓を撫でられるようなものを感じたに違いない。彼はその体ぜんたいに、えたいの知れぬ軟体動物のような粘っこさを持っていた。

二人は道を進んで行った。

坂にかかってもう二十丁は登ったであろう。真北に向いた斜面で吹きつける粉雪は力も緩めず眼界を遮《さえぎ》る。今は背に受けているからいいが、下るときの困難さが思いやられた。

俗に権現平《ごんげんだいら》と呼ばれている坂の中途で、やや平坦《へいたん》な迂回路《うかいろ》へさしかかった時……東寿はふと足を止めてしまった。

「……東寿どうしたか」

大弐が呼びかけた。

「人が尾《つ》けてまいります」

「……人が来る」

「どうも気になっていたのですが」

東寿は頭を傾《かし》げ、遠くの物音を聞き取ろうとするように、しばらくじっと呼吸をのんでいた。枯れた梢《こずえ》にひょうひょうと風が鳴っている。林のそこここで、枝から雪塊《ゆきくれ》の落ちる音が聞える……しかし大弐には、その他になんの物音も聞えなかった。

「尾けてまいります」

東寿が呟《つぶや》くような声で云った。

「先生、その辺にお体を隠す場所はございませんか」

「もう少し先に権現堂が見える」

「それはいけません。林の奥か藪《やぶ》の蔭《かげ》か足跡を尾けられぬ処《ところ》へお隠れください」

「杣人《そまびと》か猟人などではないのか」

「違います。わたくしの耳に刻みついている歩きかたです。深谷《ふかや》の駅まで尾けて来て、それ以来聞えなくなったあの歩きぶりです」

「では一人ではあるまい」

「増えております。あのおりは三人でございました。今は五人……ことによるとそれ以上おります。どうぞ早く」

「だがその人数に東寿独りでは」

「先生」

東寿の声はなんとも云いようのない哀切な響をもって大弐を制した。

彼がこの危険にどう処するか、それは大弐がいちばんよく知っている……それで多少の不安を残しながら、大弐は裸になった櫟林《くぬぎばやし》の奥へ、なるべく足跡を残さぬようにしながらはいって行った。

東寿のかんは的中した。

間もなく道の上に、合羽も笠も雪まみれになった人影が、一つ、二つひどく先を急ぐようすで、七人までやって来るのが見えた……彼らは権現平へかかるとともに、こっちへ向いて立っている東寿を認めた。

「……盲《めくら》無念だ」

先頭にいる一人が云った。

その声調は同伴者たちに一様の戦慄《せんりつ》を与えた。覚悟して来たことはみんなの眼に現れている。しかし盲無念だと云われたせつな、七人は一様に身震いをした——しかし次の瞬間、先頭にいた一人が合羽と笠を脱捨てた。

「近くにいる、逃すな」

おうと云いざまみんな即座に合羽と笠とを捨てた。下は袴《はかま》の股立《ももだち》を取り、汗止め襷《たすき》がけの充分な身拵えである。

東寿も静かに雨具を脱《と》っていた。

両方なにも云わなかった……そして三度、やっぱり先頭にいた武士の一人が、

「盲無念は拙者が引受けた。大弐を捜せ」

そう叫びながら突進した。

二の一

「待て、ちょっと待て」

伊兵衛は先へ行く仲間を呼止めた。

「どうした」

「獲物か」

斎藤孫次郎と、紙屋十郎兵衛とは、一緒に叫びながら戻《もど》って来た。

そこは熊笹に蔽《おお》われた崖下の径《みち》で、片側に楢《なら》の若木の疎林《そりん》があるのと、あまり高くはないが屏風《びょうぶ》のような崖が迫っているため、吹きつけてくる雪は膝を越すほど積っていた。

伊兵衛は鉄砲を左の脇に抱えたまま、身をかがめて、獣の足跡でも探るように、じっとなにかを見戌っている。

「なんだ功刀、熊か、猪か」

戻って来た孫次郎がそう囁《ささや》きながら覗《のぞ》きこむと、伊兵衛は雪の上を指さしながらここを見ろと云った。

血痕《けっこん》が雪を染めていた。

伊兵衛の示す指を追って行くと、崖のひとところが崩れて、熊笹の密生している場所から、径を越して、榾の疎林の中まで、その血痕は点々と尾を曳《ひ》いていた……先に行った二人が気付かなかったのは吹きつける雪に埋れていたからで、彼らが雪を踏返したため、はじめて伊兵衛の眼についたのである。

「手負いだな。しかも大物だろう」

「熊だぞこれは」

「そうかも知れない。だが……」

二人は早くも意気ごんだが、伊兵衛はなにか腑《ふ》に落ちぬものがあるようすだった。彼らが猟をするために、この鬼鉾山へやって来たのは九時過ぎであった。伊兵衛はまずこの峡間にある熊の道を襲うつもりで、山の口から左へ折れて来た。そのとき四五人の侍たちが、正面の坂を足早に登って行くのを、伊兵衛は吹雪のかなたにちらと認めた。

——ばかに急いでいるな。

と、そのとき伊兵衛は思った。

むろん家中の者だろうと思ったし、それだけで忘れていたが、いま眼の前になま新しい血痕を見ていると、あのとき急いで登って行った侍たちの姿がふと思いだされたのである……孫次郎と十郎兵衛は側から急《せ》きたてた。

「おい、なにを考えているんだ」

「早く追っかけよう、どっちへ行けばいいんだ。下か、上か」

「こっちだ、しかし気をつけろ」

伊兵衛は疎林の中へはいって行きながら、脅すように低い声で云った。

「手負いの獣は危険だぞ。いきなり跳びついて来るからな。静かにするんだ」

三人は静かに進んだ。

疎林はなだらかな斜面をなして、北側へと低くなっている。あとからあとからと吹きつけては積る雪の、ひとところだけ、なにものかしばらく前に通った跡が、窪《くぼ》みとなって残っていた。伊兵衛は先頭に立ってその跡を尾けた。

しかし百歩と行く必要はなかった。

雪の窪みが尽きたところに、古い杉が一本だけ立っている。その根本に、雪をかぶって倒れている者があった……伊兵衛は火縄《ひなわ》を消して鉄砲を孫次郎に渡しながら走り寄った。

引起してみると、若い見慣れぬ武士だった。

「やっ、人間か」

「斬《き》られている」

孫次郎と十郎兵衛は息をのんだ。

伊兵衛は手早く傷所をみた。若い武士は脇腹を突かれていた。そしてもう絶息していた……そのとき、うしろから覗きこんでいた孫次郎が、なにをみつけたか伊兵衛を押し除《の》けて、

「おいちょっと見せろ」

と前へ乗出して来た。そして死者の顔をじっと見戍っていたが、急にあっと声をあげた。

「数馬、数馬だ」

「……貴公、知っているのか」

「知っているとも。江戸屋敷の近習番で、大沢数馬という男だ。おれとは鈴木《すずき》次郎《じろう》太夫《だゆう》先生の道場で一緒に剣法を習ったこともある、江戸屋敷では指折りの男だ」

「それはたしかか。江戸藩邸の者がこんな処へ来るのはおかしい」

「いやたしかだ。数馬に相違ない」

「しかし死顔は変るという、よく似た他人はあるものだぞ」

十郎兵衛がしきりに念を押した。

そのとき伊兵衛の頭に、ふたたびあのときの侍たちの姿がうかんできた。吹雪のなかを、ひどく急いで登って行った姿が……。

「おい孫次郎、向うを見よう」

「どうするのだ」

「あの上になにかある。急げ」

伊兵衛の足下で雪煙があがった。孫次郎も十郎兵衛もそのあとを追って走りだした。

二の二

元の場所へ引返した三人は、密生している熊笹を押し分け、その根に縋《すが》りながら、崩れたところを伝って崖を登った。

崖の上は杉林《すぎばやし》で、かなり急な斜面をなして権現堂のほうへ登っている。伊兵衛はなんども立止って、人声でも聞えはせぬかと耳を澄ました……しかし吹雪の咆《ほ》えるほかにはなんの物音もしなかった。

「あっ見ろ。あそこにも……」

しんがりを走っていた十郎兵衛の声がした。三人の登って行くところから十四五間も右手に、雪まみれになって倒れている者があった……汗止めの白い帛《きぬ》が鮮かに三人の眼にしみた。

「二人で見てこい。おれは上へ行ってみる」

そう云い捨てて伊兵衛は斜面を駈け登って行った。

権現堂の迂回路はひっそりとしていた。しかし路上の雪はひどく踏荒らされ、ところどころに血痕が滴《したた》っていた……笹の葉のあいだに光っている物があるので、近寄ってみると抜身の刀だった。

また死体があった。

右手の櫟林へのめり込むようなかたちで、ほとんど折重なって二人倒れていた……近寄って傷所を検《あらた》めると、一つは胸、一つは右の脾腹《ひばら》、みなひと突の深い刺傷である。

——みんな同じ傷だ。

一刀致命の突である。

孫次郎と十郎兵衛が追いついて来た。二人ともすっかり顔色が変っていた……斜面に倒れていたのも名は覚えがないが、やはり江戸屋敷の家臣だと云う。

「傷はどこだ」

「ここをやられていた」

孫次郎は心臓の上を押えた。伊兵衛はそこにある二つの死体を見ろと云った。孫次郎はその顔をひと眼見るなり、絞るような呻《うめ》き声をあげた……そしてやはり江戸表の藩士で、谷口平六《たにぐちへいろく》と野島忠之丞《のじまちゅうのじょう》という名をあげた。

三人は手分けをして、なお付近を探してみた。しかし雪に埋ったものか、それとも人数はそれだけだったのか、他にはなんの発見もなかった。探し疲れて権現堂の迂回路へ戻って来ると、孫次郎はもういちど二人の死体を検めて、

「おかしい、この突き傷にはなんだか覚えがある……みんな一刀ずつ、しかも的確に急所を覘《ねら》った突は、凡手ではない」

「とにかくこうしていてもしようがない」

伊兵衛が云った。

「十郎兵衛、貴公行って目付役に届けて来てくれ。それから死体を運ぶ人手がいる。若い者を五六人と戸板を頼むぞ。ここはおれと斎藤が預るから」

「やれやれ、とんだ獲物になったぞ」

十郎兵衛はすぐに出掛けた。

いったい何ごとがあったのだ。江戸屋敷の者が四人も、国許へ潜入して来て、この山中で死体になっている……四人が果合いをしてともに死んだのか、それとも誰かに四人とも討ち果されたのか、もしそうとしたら相手はどうしたか、まだこの山中にい

るだろうか。

吹雪はますますひどくなる、凍《い》ての烈《はげ》しい風が、櫟林の梢を払ってひゅうひゅうと鳴っていた。

「そうだ、思いだした」

孫次郎がふいに眼をあげた。

「なにを……」

「この傷、一刀致命の刺傷、こんなみごとな突をするやつは他にない。あいつだ」

「……誰だ」

「長谷川《はせがわ》東寿という、やはり鈴木先生の道場にいた門人で、まだ二十一か二だろう。両眼とも盲いているが技はすばらしかった」

「盲人？　盲人で剣を使うのか」

「使うどころではない、鈴木門中でそいつの突を受けきれる者は一人もなかった……我々は盲無念と呼んでいた」

「盲無念とはどういう意味だ」

「意味は分らぬ。誰が呼ぶとなく、いつかしらそういう名が付いてしまったのだ……いまこの突傷を見ると、歴々《ありあり》と彼の姿が見える。少し前かがみになって、見えない眼を空へ向けながら、小太刀を籠手《こて》高に構えた姿が……あいつだ。盲無念の他にこれだけの突をするやつはない」

孫次郎はまるでそこに盲無念と呼ぶ当の相手を見るかのように身を震わせながら深く息を吸込んだ。

「しかし、相手がその男として、この四人とこんな場所で果合いをするような関《かかわ》りがあるのか。四人ともその男に仕止められたとして」

「分らぬ。おれは去年の春、国詰になってこっちへ来た。その後でなにか間違いがあったかも知れない。しかしおれがいた時分にはべつにそれほど深い関係はなかったはずだ」

「いったいその男は何者なんだ」

「その男とは東寿のことか」

「盲人で剣を使うというが、武士なのか町人なのか。なんのために剣を使うんだ」

「そいつも分らん」

孫次郎は頭を振って云った。

「なんでも父親は浪人だったそうだ。彼は琵琶《びわ》の師匠が本業なのだが、剣法が好きで道場へ通って来るのだと聞いていた。むろん剣で身を立てるなどという野心はないようすだったし、その独特な奕の手を別にすれば、気質の穏かな口数の寡《すくな》い良い人間だったよ」

「どうも話と事実とがちぐはぐだな。しかし、なにしろ当人たちが死んでしまってるんだから、江戸屋敷の者にでも糺《ただ》さなくては分るまい」

伊兵衛は雪帽子をあげて道の向うを見た。吹雪は大きな力で枯林を襲い、梢を揺りたて、地を吹き捲《まく》り、あらゆるものを灰色の翼で薙《な》ぎたてながら去って行く。

――この吹雪のなかで何ごとがあったのだろう。

伊兵衛は盲無念という男を思い、また遠くこの山中へ来て死んだ四人の身上を思いやった。

――なにがあったのだろう。

二の三

来栖道之進は、国老津田頼母から迎えの書面を読んでいた……ちょうど昼の食事をおわったところで、読んでいると母が茶を運んで入って来た。

「お出掛けですか」

母は道之進の側へ茶を置きながら坐った。

彼女は名を曽女《そめ》といった、同家中の足軽組頭の娘で十六のとき来栖家へ嫁《か》し、十九で道之進を生んだが、二十五歳のときに良人に死なれて以来、ずっと寡婦《かふ》を通しながら立派に道之進を育てあげてきた。

長男の顔は母に似るというが、道之進の美しい容貌《ようぼう》はそのまま母写しなのであろう。曽女は小幡家中でも評判の美人であったが、どこかしら陶器のような冷たさがあり、気質にもそれを持っていた。……切り口上の言葉つきにも、いつかしら微笑している口許にも、なんとなく人を見透すような、皮肉なものが漂って、それは一人子の道之進にとってさえ近づきにくい、冷たい疎隔《そかく》を感じさせた。それがいま道之進の男にしては端麗すぎる容貌の中に、かすかなかげりになっているように見える。

「御家老から使者でしたが」

道之進は書面を巻き納めながら、

「急の御用で江戸表まで行くことになるようです。その支度をしてすぐにでかけたいと思います」

「では支度をいたしましょう」

曽女は立とうとしたが、

「その御用というのは長くかかるようですか」

「この書面だけでは分りませんが、なにか母上の御都合でもございますか」

「功刀の娘のことでねえ」

曽女はそう云いかけたが、

「まあそれは後にしましょう。帰ってからでもいいのだから」

そう云って立って行った。

功刀の娘といえば許嫁の佐和のことだ。来る春には、主君の御帰国を待って祝言《しゅうげん》をあげる運びになっている……佐和がどうかしたのだろうか、道之進は思いがけぬ疑惑を与えられてちょっと気が揺らいだ。

——しかし、いま訊《き》いても話す母ではない。

そう思って彼は黙っていた。

そのまま旅に出られる支度で、供一人を伴れて国老の屋敷を訪れたのは、それから半刻《はんとき》ほど後のことであった……すぐ客間のほうへとおされたが、それと入違いに、目付役の鳴海《なるみ》大九郎《だいくろう》が辞去して行った。

「降るなかを御苦労であった」

頼母は待兼ねていたように挨拶《あいさつ》をそこそこに受けて云った。

「じつは大任を頼みたいのだ」

「拙者に勤まることでございましたら」

「県先生が暴漢に襲われてな」

「……暴漢に」

ちらと道之進は伊兵衛の顔を思いだした。

「今朝、地理を観《み》るために鬼鉾山へ登られたのだ。この雪だからといちおうはお止め申したが、先を急ぐからとの仰せで、東寿どのとお二人で登って行かれた。すると……権現堂のところで、あとを尾けて来た七人の者が、有無を云わせず斬ってかかったそうだ」

「して先生には！」

「東寿どのは盲人ながら稀代《きたい》の剣士とみえ、七人のうち四人までその場に討止め、無事に戻ってみえられたが……その暴漢が困ったことに家中の者なのだ」

道之進は息をのんだ。ふたたび伊兵衛を思ったのである、しかしその疑いはすぐに解けた。

「家中と申しても国許の者ではない。みな江戸屋敷の人間で、江戸からずっと先生を尾狙《つけねら》って来たらしい」

「なんのためにさようなことを」

「まだそのもとには知るまいが、江戸の老職吉田玄蕃《よしだげんば》とわしとの推挙で、県先生をお上の賓師におすすめ申してある。このたび当地へ講演にお招き申したのもその手順の一であるが……江戸表重役のうちに反対する者があってな」

頼母は肥えた体をかがめながら、ふと声を低めて続けた。

「それは、ただ県先生を賓師に迎えることに反対するのではなく、御政治向きの反目が根をなしているのだが」

「松原《まつばら》どのでございますか」

道之進は大胆に云ってのけた。

織田《おだ》美濃守の家中に二つの勢力が対立している。一つは江戸家老吉田玄蕃、国家老津田頼母、この両者の系統に属する一派、他の一つは江戸表用人松原郡太夫《ぐんだゆう》、津田庄造《つだしょうぞう》、同じく年寄役柘植源右衛門《つげげんえもん》らとその一派である……吉田、津田の一派はひと口に云うと進取派で、旧《ふる》い政策を捨て、藩政を新しく改革しようとしている。松原郡太夫の一派は旧守派で、ただこれ古い権力政治を押通そうとしていた。

しかし、この二つの勢力争いには、さらにもう一つ複雑な条件が加わっていたのである。

それは――。

現藩主、美濃守信邦は養子で、実父は高家の織田少将《しょうしょう》信栄《のぶひで》であった。この信栄は権勢を好む人で、藩主の実父という位置をかさに、小幡の藩政を思うままにしようとしていた……松原郡太夫一派は、この少将信栄とあい結んでいたのである。

むろん、こういう家中の対立は隠密《おんみつ》なものであった。何人《なんぴと》も口にすべからざることだった。しかし道之進は今はっきりと相手の名をあげた。彼は、来るべき時が来たことを感じたからである。

「そうだ、おそらく彼であろう」

頼母は頷いた。

二の四

「いましがた、鬼鉾山から四人の死体が運ばれて来た。猟に出ていた功刀伊兵衛と、紙屋十郎兵衛、斎藤孫次郎の三名がみつけたのだ。悪いことに孫次郎は去年の春まで江戸勤番であったから、死んだ四人も見知っている。また七名のうち三人は、手傷を負ってどこかに潜んでいるようすだ」

「孫次郎を黙らせ、表沙汰《おもてざた》にならぬよう始末をしませぬと、乗ぜられる口実になりますな」

「それで、そのもとに江戸へ立ってもらいたい」

「御方策がございますか」

「七人の者が当地へまいるについて、国許へは届出が出ておらぬ。これが唯一《ゆいいつ》の材料だ。七人の者を脱藩私闘の名目で、処置してきてくれ」

「それは……大任でございます」

「そうしなくてはならん。ぜひそうしなくてはならんのだ。吉田玄蕃にはべつに書状を書くから、彼と談合してやってくれ」

「松原どのは一筋ならぬ人物、たやすくはまいるまいと存じますが、できるだけ押切って仕《つかまつ》ります」

なお細々とした打合せを終って、立とうとした道之進はふと思出したように、

「それで先生はいかがあそばしました。もう御出立でございますか」

「御出立のはずであったが、まずこの騒ぎの鎮まるまで御滞在を願ってある……というのが、四人を仕止めた相手が東寿どのだということを、やっぱり孫次郎が察しているらしい」

「知合いでございますか」

「江戸で同じ剣法道場で学んだので、東寿どのの太刀筋を見知っているとのことだ

……東寿どのが県先生の供をして、当地に来ていることまでは気付かぬらしいが、もしそれが分ったら無事には済むまい。それで当分この屋敷にお匿《かくま》い申そうと思う」

道之進はしばらく考えていたが、

「いかがでございましょう」

と頼母の眼を見ながら云った。

「孫次郎を拙者と同道で江戸へやっていただけませぬか、そういたせば東寿どのを見知る者は彼一人ですから、後が安全だと存じます」

「それは妙案だ。すぐそう計らおう」

頼母は直ちにその手配をした。

旅支度をして駈けつけた斎藤孫次郎とともに、道之進が頼母の家を出たのは午後二時過ぎであった。……旅に立つ時刻ではなかった。吹雪もひどかった。しかし一刻も急がなければならぬ。とくに例を破って供の者にも馬を与え、四騎、雪を蹴立《けた》ててでかけた。

彼等が武家屋敷の辻を曲って、街道口のほうへ去ったとき、それと行違いに、功刀伊兵衛が辻を曲って来た。

そして津田家の玄関へ入って国老に面会を申入れた。

しかし面会は断られた。

「御家老にはただいま御多用で、お会い申す暇がないと申されます」

「しかし手前の用向も同様、今日鬼鉾山で討果された江戸詰家中の者の処置について、ぜひともお訊《たず》ね申したいことがあるのです。いまいちおうお取次ぎください」

「他ならぬこなたさまのことゆえ、お会いできるものならお断りはなさいますまい、今日はお帰りを願います」

「……ではひと言、伺っておきたいが」

伊兵衛は家扶の眼を見すえるようにしながら云った。

「山県大弐どのは御当家にまだ御滞在ですか」

「さあ……それは」

「もう御出立ですか」

家扶は伊兵衛の視線から眼を外《そ》らした。

「まだ……さよう、まだ御滞在かと思いますが、あるいは御出立になったかも知れません。わたくし用事にとり紛れて、そのほうのことは存じませぬが」

「……ではいたしかたがない」

伊兵衛はもういちど家扶の眼をみつめてから、会釈《えしゃく》をして外へ出た。

しかし門を出て、長屋塀《ながやべい》について三十歩あまり行ったとき、津田邸の裏に当って、すさまじい人の叫声と、物の引裂ける音が起ったのを彼は聞いた。

——なんだ。

伊兵衛は立止って耳を傾けた。

しかし、もうなんの物音もしなかった。吹きまくる雪に包まれて、国老の屋敷は森閑と鎮りかえっていた……胸に喰込《くいこ》むような、凄惨《せいさん》な叫びであった。急に板の引裂けるような物音だったが……。

「そら耳だったのか」

伊兵衛は呟きながら歩きだした。

三の一

津田頼母に面会を断られた功刀伊兵衛は、その足で斎藤孫次郎を訪ねた。ところが孫次郎はいなかった。

「急の御用で、たったいま、江戸へお立ちなさいました」

「一人でか」

「来栖さまと御一緒だと伺いましたが」

　留守の者にはそれだけしか分らなかった。伊兵衛はそこから紙屋十郎兵衛の家へ廻《まわ》った。彼はまだ部屋住の気楽な身分で、かなり年の違う弟が一人ある。伊兵衛が庭のほうから覗くと、彼は弟と一緒に雪まみれになって、おそろしく大きな雪達磨《ゆきだるま》を拵えているところだった。

「やあ、どうした。なにか用か」

「ちょっと話がある。出てくれないか」

「よし、すぐ表から廻って行こう」

　十郎兵衛は支度を直して表から出て来た。伊兵衛は一緒に自分の家のほうへ向いながら、声をひそめて云いだした。

「十郎兵衛、鬼鉾山で斬られていた四人には伴れがあった」

「伴れがあったって？」

「全部で七人いた。あすこに倒れていたのは四人だが、負傷して辛くも生き延びた者が三人ある……いまおれの家へ来ているんだ」

　十郎兵衛はあっと云って眼を瞠《みは》った。

「二時間ほど前に、裏口からそっとやって来た。三人の中に桃井《ももい》久馬《きゅうま》がいたんだ」

「三年まえに江戸詰めになって行った、あの桃井か」

「そうだ」

伊兵衛は道の左右に眼を配りながら、声をひそめて続けた。

「あの久馬だ。三人とも怪我《けが》をしている。大した傷ではないし、世間に知れてはいかんから、いま母と妹に手当をさせているが」

「それでいったい……その七人はどうしたんだ。あんな処でなにをしたんだ。斬った相手というのは何者だ」

「山県大弐だ」

「なに、あの山……」

「手を下したのは大弐じゃない、孫次郎の云ったとおり盲無念というやつだ。七人はお家のために大弐を刺そうとして、ひそかに後を尾けてこの小幡へ来ていた。しかし鬼鉾山で追詰めたのだが、盲無念のために、逆に四人斬られ、三人も傷ついてしまったのだ」

「なんのために、しかし、どうして山県大弐をお家のために斬ろうとしたんだ」

「江戸家老、国家老、この両者と重役たちのあいだの相談で、大弐をお上の賓師に迎え、なお藩政の枢機《すうき》に参与させようということになっているそうだ……ところが、山県大弐の学説は幕府の忌諱《きい》に触れる点が多く、おまけに不穏なことを企《たくら》んでいるなどという噂《うわさ》もあるので、ひそかに探索が廻っているという状態だそうだ」

「そいつは怪《け》しからん。そんな人間をお上の賓師に迎えるなんて、まるで求めて幕府の譴責《けんせき》を待つようなものじゃないか」

「それで、御館《おやかた》の少将さま（信栄）と、御用人松原どのの意見で、禍《わざわい》の根を断つために、七人がやって来たのだ……久馬は云ってるんだ、大弐を斬るのはお家のためだけではない、天下の治安のためだと」

「武士ならそうするはずだ、おれだって！」

十郎兵衛は拳《こぶし》を突出したが、「それで、孫次郎には知らせたのか」

「いや斎藤は江戸へ立ったそうだ」

「江戸？……なんのために？」

「来栖と一緒だそうだが、四人の死体の件についての急使だろうと思う。津田どのは七人が大弐を刺そうとした事実から、江戸屋敷へなにか先手を打つつもりに相違ない」

「……分らんなあ」

十郎兵衛はやけに頭を振って云った。

「国老はあんな良い人だし、人物も小幡などには惜しいと云われていたくらいなのに、どうしてそう大弐などに迷っているんだろう。大弐が本当に公儀から密偵《みってい》されているような男だとしたら、国老に分らぬ訳はあるまいが」

「人間には誰しも弱点がある。金に眼が昏《くら》むとか、女に迷うとか、権勢に執着するとか、大きい人物は大きいなりに、やっぱり弱点を持っているものだよ」

「国老になにかそんなことがあるのか」

「小幡は小藩でも由緒《ゆいしょ》ある織田の直流だ。この藩政を自分の手に握っているということは、誰にしたってそう不愉快なことじゃないさ」

二人は功刀の屋敷へ曲ろうとしていた。するとそっちから、雪を蹴立てて、ころぶように走って来た者がある。

「あっ、兄上さま」

妹の佐和であった。

三の二

「佐和じゃないか、どうしたんだ」

「お捜ししていましたの」

佐和は蒼白《あおじろ》く、ひきつったような顔をして、息を喘《あえ》がせていた。

「兄上さまがおでかけなさるとすぐ、土井《どい》さまと山口さまのお二人が」

「二人がどうしたって」

「大弐を斬るとおっしゃって出ていらっしゃいました」

「桃井はどうした。久馬は」

「桃井さまはお足の傷が痛みだして動くことができず、家で臥《ふせ》っておいでなさいます」

伊兵衛は思わず呻《うめ》いた。

――もしや？

さっき津田邸を出たとき、裏庭のほうでただならぬ物音がした、不審に思いながらそのまま来てしまったが、もしや……あのとき二人が斬り込んだのではないだろうか、物音は烈しかった。そしてすぐに止《や》んだ。二人があのとき斬り込んだのだとすると、物音がすぐに止んだのは……権現堂の四人と同じ運命に遭ったのではなかろうか。

「十郎兵衛」

伊兵衛は振返って、

「貴公は妹と一緒に家へ行ってくれ、久馬を頼む」

「貴公どうする」

「二人は津田邸へ斬り込んだ。手後れかも知れんが見て来る。久馬を頼む、誰が来ても渡すんじゃないぞ」

そういうなり、伊兵衛は足袋はだしになり、傘《かさ》を妹の手に押しつけざま走りだした。

表から行っても無駄《むだ》だと思ったから、津田邸へ駈けつけた彼はすぐ裏手へ廻った。雪はますます密《ひそ》かに降っている。吹き巻く風に煽《あお》られて地上から舞立つ粉雪が縦横にその灰色の幕を翻《ひるがえ》した。

伊兵衛は厩舎《きゅうしゃ》の屋根にとびついて、その上によじ登った。そして、積っている雪の中に身を伏せながら内庭のようすを窺《うかが》った。

正面に五十坪あまりの母屋《おもや》が建っている。左に続いて離れ屋と茶室があり、そのうしろに主《あるじ》が『望翠楼《ぼうすいろう》』と号《つ》けている高二階、破風《はふ》造りの閣が建っていた。

どこにも人気はなかった。結構を凝らした泉庭も今は雪の下に埋れ、まき立つ吹雪だけが空《むな》しい舞を舞っている……大弐がいるとすればあの望翠楼だ。そう直感した伊兵衛は、なおしばらくようすを窺った後、静かに邸内へと滑り下りた。

物音の聞えたのは、たしかにその辺である。しかしいまはなにもかも雪の下になってしまった。伊兵衛はようやく黄昏《たそがれ》の色の濃くなった庭上を、植込の蔭に沿って走ると、あとは一気に茶室の土庇《どびさし》の下へ駈け込んで行った……そして、そこでひと息ついたとき、幽咽《ゆうえつ》たる琵琶の音を耳にした。

——長谷川東寿、盲無念だ。

伊兵衛はそう気付いた。

孫次郎の話に、東寿は琵琶をよくしたと聞いたし、この屋敷に琵琶を弾く者はない。たしかに彼だと思いながら、伊兵衛はいつかその音調に強く惹《ひ》きつけられている自分を感じた……大絃《たいげん》はそうそうとして急雨のごとく小絃は切々として私語のごとし、という白氏の詩片がふと頭にうかんだ。……そうそうと切々と錯雑して弾ずれば、大珠小珠玉盤に落つ……そのとき琵琶の音はそれほど華麗ではなかった。白氏の措辞を連想させたのはその無用の技であって、発する真韻はもっと深刻な、もっと直接なものであった。かつて音楽などに嗜《たしな》みをもたなかった伊兵衛は、その韻律がどれほどのものか分らなかったが、じかに胸へ訴えてくる啾々《しゅうしゅう》の音には、ほとんど心を戦慄《せんりつ》させられるものがあった。

——ええ、くそっ!

伊兵衛はやがて頭を強く振って立った。

——おれはなにをしているんだ。

琵琶の音はすなわち大弐の所在《ありか》の手引きではないか、伊兵衛は茶室に沿って廻り、望翠楼の横手へと出た。絃音は、明らかに閣上から聞えてくる。彼は妻戸口の外へ迫って、じっと中の気配に耳をすました。

するとその耳に、西側の裏木戸で人の呼びかわす声が聞えてきた。数は四、五人、なにか運び出そうとしているようすである。伊兵衛はとっさに裏へ廻った……木戸口のところで、津田邸の家士《かし》たちが五人、新しい幕に包んだ物を外へ担《かつ》ぎ出そうとしていた。

山口と土井の死体に違いない。

伊兵衛は呼びかけようとしたが、それよりも大弐主従のほうが先だと思って、ふたたび元のところへ引返した……琵琶の音は止んでいた。そして低い談笑の声が聞え、一人はたしかに津田頼母である。

――踏み込め！

と伊兵衛がまさに妻戸へ手を掛けようとした、そのとき階上の談笑の声が、下へと降りて来るのが聞えた。

「しかしこの雪に夜道をおいでなさるには、お二人だけでは心許《こころもと》のうございますな。碓氷《うすい》へかかる道はよほどひどうございますが」

頼母の声である。

「数年まえにも二度ばかり通って、案内はよく心得ております。思わぬ御迷惑をかけてなんとも申訳がございません。どうか御心配なくたたせていただきます」

「とにかく峠口までは家の者に……」

話声は廊下のかなたへ消えて行った。

――碓氷へかけて夜旅に出る。

伊兵衛はぐっと拳を握った。

三の三

日暮れの早い土地ではあり、ことにひどい吹雪で、山県大弐と東寿とが津田邸を出たのはもう家々に灯《ひ》の入る時分だった。

津田家の若い家士が、前後に三人ずつ警護していた……風はやや力を弱めたが、粉雪はやむことを忘れたように降り続けていた。城下を出て富岡《とみおか》までの道は、ところどころ膝《ひざ》を没するほど積った場所があり、用水堀も田溝《たみぞ》も見分けのつかぬ状態だった。

富岡で日はまったく暮れた。

警護の家士たちは、そこで宿をとるように勧めたが、大弐は笑って肯《うなず》かなかった。そして六人を小幡へ帰らせてしまった。

「雪も夜旅も、兵法を学ぶ身には得がたき修業の道具です。歩けなくなったら岩蔭《いわかげ》にでも夜を明かしましょう。大弐四十二歳の体がどれだけもつか、試してみるのも一興です」

そう云《い》って笑った。

二人になった主従は、荒涼と雪に昏《く》れた道を板鼻へと向った……しかしそのうしろから、あいだ二十間ほど隔てて、伊兵衛が追って来るのに気付いていたかどうか……伊兵衛は先に鏑川《かぶらがわ》の渡を越して待ち、主従をやり過して尾《つ》けて行った。

彼はいきなり大弐を斬ろうとは思っていなかった。初めて大弐の講演を聴いた夜、その説が現在の秩序を誹謗《ひぼう》するものであり、聴きようによっては徳川幕府を顚覆《てんぷく》させようとするもののあるのすら感じられた……『天に二日なく地に二王なし』という点で、朝廷と幕府を対照し、『禄位《ろくい》その本源を分つ』と称して、京と江戸と離間する論法をたて、すなわち乱世のよって起るところだと云った。伊兵衛は自分が学問に精《くわ》しくないのを知っている。だから、面倒なもって廻った議論はできない。ただ彼は徳川氏が天下を平定するまでの、武家政治の幾変転をかえりみて、やっぱり現在の秩序はもっとも自然な道をたどり、道理によって発達したものだと信じていた……志を得ざる人々が、畏《かしこ》くも京都を口にして幕府に矢を向け、おのれの功名心を満足させようとした例はすくなくない。しかし道理を無視したものが成功するか、世人を毒しいたずらに血を流すだけが結局ではないか、慶安の変もそうだった、承応の別木庄左衛門《べっきしょうざえもん》もそうだ。そして今また同じようなことが起ろうとしているのである。

伊兵衛が来栖道之進に、

――大弐どのは殺されるぞ。

と云ったのは、右のように考えたからであった。むろん自分で手にかけるつもりはなかった。そういう危険な説を述べる者が、いつまで幕府の耳目を免《まぬか》れているはずはない、そう感じたからであった。しかしめぐりあわせはついにここへきてしまった。彼はいま大弐の心底を糺《ただ》したうえ、場合によっては本当に自分の手で斬る決心をしていた。

富岡から一里半あまり、小野という部落へかかったとき、先へ行く山県主従がふと道の上に立止った……雪明りではあるが、夜のとばりが深く、おまけに粉雪がひそかに降っていたので、伊兵衛がそれに気付いたのは、両者の間隔が四、五間に迫ってからのことだった。

――あっ。

仄明《ほのあか》りのなかに立止っている主従を見て、伊兵衛は思わず低く叫びながら一歩戻《もど》っ

た。すると間髪を容《い》れず、

「お逃げなさるな」

と供の盲人が声をかけた。

「鐍川の渡の向うから尾けてみえた、知っていてお待ち申したのです……ここなら邪魔もはいりますまい。いざ、まいられい」

そう云いながら合羽をはねた。

――盲無念、一刀致命の突。

孫次郎に聞いていた無気味な敵と、いま前に相対したのである。雪と闇《やみ》とに遮《さえぎ》られてよくは見えないが、小柄《こがら》な痩《や》せた体をややかがめ、見えぬ眼を仰にしながら静かに腰の小剣の柄《つか》へ手をかけた姿は、なにかしら慄然《りつぜん》とさせる鬼気を持っていた。

伊兵衛は大弐に呼び掛けようとした。まず彼の心底を知りたかったから……しかし、盲人の全身から発する殺気は、眼に見えぬ一万の箭《や》を射かけるように、伊兵衛の神経を妖《あや》しく縛りつけてしまった。

蛇《へび》に見込まれた蛙《かえる》、恐らくそのときの伊兵衛はそんな感じだったに違いない、神髄が痺《しび》れたようになって、手を動かすこともできず、息をつくことさえ苦しくなった。

――いかん！

と気付いたとき、相手はすでにずっと間合を縮めていた。そして、夜目にも白い右手が、するすると音もなく小剣を抜いた。

三の四

桃井久馬は二十六歳になる。

元は国詰めの書物番で、功刀の隣屋敷に住んでいたが、三年まえ、父母と弟と一緒に江戸詰めになって去った……気質が狷介《けんかい》なので、隣同士でも親しい付合いはなかったが、それでも功刀兄妹とは幼友達であった。

「まだ痛みまして」

「いくらか楽になったようです」

「もう少し冷したほうがようございましょう。そのほうが肉もよく上ると申しますから」

「いや、もうけっこうです」

立て廻した屏風《びょうぶ》に、行燈《あんどん》の光があかあかと映えていた……夜具の衿《えり》を口許まで引寄せた久馬は、痛みを外らすように、ふと屏風のほうへ眼をやった。亡《な》き主人伊右衛門がそんな趣味のある人で、よく旅絵師などを呼んでは、いろいろなものを描かせて悦《よろこ》んでいた。

——わしは格式のある絵は好かぬ、絵は心だ、下手でもよい、その人の心の表れている絵なら、どんな安絵師のものでも珍重する。

よくそう云っていたのを知っている。この屛風もそうした旅絵師の一人の描いたもので、南画風の山水に北宋《ほくそう》風の花鳥を配し、それに文人画のぼかしをおいたというようなものだった。それができあがったときには、さすがの伊右衛門も苦笑して言葉がなかった。ことに六曲の左端に葭《よし》の茂った水があってそこに一羽の水禽《みずとり》が飛んでいるのだが、その鳥の正体がどうしても分らない。羽色は鶺鴒《せきれい》とも見えるし、脚の長いところは鷭《ばん》のようでもあり、嘴《くちばし》は宛然《えんぜん》として鷺《さぎ》に類する……久馬は少年の頃、伊兵衛とともにこの屛風を見るたびにそれを指さしては笑ったものであった。

「ああ、なつかしい屛風ですね」

「……なんでございますの」

「この屛風です。そっちの端にいる鳥がなんだか分らないので、伊兵衛とよく冗談を云ったものですよ」

佐和も思いだしたように、手をそっと唇《くちびる》に当てながら笑った。

「そうでございました。父はそれを聞くのがいやでしたそうで、ずっと納戸《なんど》へしまったきり出させませんでしたの……家へ来て絵を描いたかたは、たいていました、二度め三度めとお寄りなさいましたけれど、この屛風を描いたかただけは、それっきり音沙《おとさ》汰《た》がございませんでしたわ……いまどうしていることでしょう」

「もうずいぶん昔のことですね」

久馬はそっと眼を閉じた。

彼は佐和を恋していた。物心のつく頃から彼女の俤《おもかげ》を追っていた。しかし彼は自分の家柄の低いことを恥じ、自分の才分の拙《つたな》いのを恥じ、容貌《ようぼう》の醜いのを恥じていた。——自分などの手の届くひとではない。

絶えずそうおのれを抑えながら、苦しい日を送ったものである。三年まえに江戸へ立ったときは、ふたたび彼女を見ることができぬという辛《つら》さより、側《そば》にいることの苦しさから脱《のが》れられるのを悦んだ……三年の時日はやっぱり彼の心にも忘却の救いを与えてくれた。ときおり、幻を描いてみることはあっても、絶望的な、身を嚙《か》むような悩しさには襲われなくなった。

——あのひとは、あのひとに相応《ふさわ》しい人間と結婚するだろう。そして子を生み、やがて老いてゆくことだろう。

しかし、おれの心にはあのひとが残っている。あの若さも、美しさも、清純さも、そのまま少しも変らずに遺っているんだ。

未練ではないと彼は信じていた。男が一生にただ一人の妻として選ぶべき女、その他にはどんな女も自分の妻ではあり得ない。そういう女に対する男の本当の愛だと信じていた。

彼は同志六人とともに、山県大弐を鬼鉾山の権現堂に追い詰めたが、四人を討止められ、自らも傷ついた。そのとき彼は、

——ここが死に場所だ。

と覚悟すると同時に、
佐和がすぐ近くにいる。

という心の叫びを聞いた。

土井勇次郎《ゆうじろう》、山口藤吉《とうきち》の二人と、傷ついた身をここへ遁《のが》れて来たのは、むろんそのためだけではない、どこまでも大弐を刺そうと思ったからである。しかし、その心の片隅に、佐和を見て死のうという気持がなかったと断言することはできなかった。

大弐が国老の屋敷にいると聞くや、山口、土井の二人は矢も楯《たて》も耐《たま》らず出て行ったが、彼は高腿《たかもも》の刺傷が烈しく痛んで起《た》てず、空しくここに残っている。ここに残って佐和の介抱を受けている。

——ああ。

と思わず久馬は呻声《うめきごえ》をあげた。

「どうなさいまして？……痛みますの」

「いや」

久馬は傷よりも烈しい胸の苦痛に、強く眉を寄せながら首を振った。

「あの二人はどうしたかと思いましてね」

「兄がすぐまいりましたし、まだ帰って来ないところをみますと、お二人も御無事でいらっしゃるのではないでしょうか……兄は御家老さまとは別懇でございますから」

表に人の帰って来た気配がした。

——紙屋さまだ。

そう思ったので、

「ただいまお食事を持ってまいります」

と云いながら佐和はそっと立上った……玄関へは母親が出ていた。そこには紙屋十郎兵衛が、四五人の若侍たちを伴《つ》れて来ていた。みんな厳重な身拵《みごしら》えである。槍《やり》を持っている者もあった。日が暮れても兄が戻らないので、十郎兵衛がようすを見に行ったのだが、そんな身支度で、五人も一緒に戻って来たのは、兄の身になにか異変があったのではないだろうか……佐和は顔色を変えた。

「紙屋さま、兄は……」

「国老の屋敷にはいませんでした」

母親と話していた十郎兵衛は、佐和のほうへ元気な眼を振向けて続けた。

「いま御母堂にお話し申したのですが、国老の屋敷にはいませんでした。しかし山県大弐が夜道をかけて発足しているので、おそらくそれを追って行ったものと思います。それで我々もあとから追ってみるつもりなんですが」

「あのお二人のようすは分りませんの」

「分りました」

十郎兵衛は暗然と声をひそめて云った。

「お気の毒ですが……どうやら返討になったらしいのです。四人の死体と一緒に、崇福寺へ運ばれたのをたしかめましたから」

それでは兄は大弐を追って行ったに違いない。佐和は眼に見えるような気がした。

「とにかく我々は追いかけます。ここへはもう誰も来ないでしょう。久馬には安心するように云っておいてください……ではみんな」

五人とともに、紙屋十郎兵衛は雪を冒して出て行った。佐和はそれを見送りながら神に祈るような気持で呟《つぶや》いた。

——どうぞ間に合いますように、どうぞ兄が無事で戻りますように。

四の一

「東寿、待て、待て」

大弐の声がした。

「降りかかる火は防がなければならぬ。しかしこっちから仕掛けてはならんぞ」

「しかし先生、こやつも刺客の片割れです」

東寿の小剣は伊兵衛の胸元を覗《ねら》ったまま動かない。大弐は大股《おおまた》に戻って来た。

「許さぬ、刀をひけ東寿」

「………」

「刀をひけと云うに」

東寿はそっと右足を引き、構えていた小剣を下した。大弐は雪明りにじっと伊兵衛のほうを見やった。

そして力の籠《こも》った声で静かに、

「小幡藩中のかたか」

と呼びかけた。伊兵衛は身が竦《すく》み、喉《のど》が干あがって答えることができなかった。

「いずれにもせよ」

と大弐は答がないので続けた。

「後を尾けるのは止めにせられい、大弐一人の首を打つとも、正しき大道を亡《ほろ》ぼすことはできぬ。区々たる藩家の内紛に眼を晦《くらま》され、人間の踏むべき道を失うとは笑止千万な……お帰りなさい。貴公たちの手に討たるる大弐ではない」

云い終ると、大弐は東寿を促して闇のかなたへ去って行った。

伊兵衛はしばらくその後姿を見送っていたが、急に意を決してその後を追った……東寿の剣に立竦んで、身動きのできなくなった瞬間から、静かな大弐の言葉が終るまでの短い時間に、伊兵衛は根底の知れない一つの感動に襲われていた。それは説明しようもないし自分でも判断しがたい、一種の顚動《てんどう》であった。

東寿の剣は、かねがね聞いていたとおりすばらしいものだった。その身構えから発する妖気《ようき》とも云うべきものは、たしかに人の心胆を奪う力を持っていた。しかしそれは防いで防げないものではなかった。少くとも伊兵衛には、対等に剣を交えるだけの自信は充分にあった。けれど……その異常な、ものの他に、東寿の全身はもっと大きな、不動のものの上に立っていた。生死をまるで度外にした、不抜の信念、ずんと一本つきぬけた意志が、その全身から熱のように放散していた。生死を超えて『道』のために自分を投げだしている強さ！　それが伊兵衛の胸を圧倒したのである。道を踏む者の無我の気が、伊兵衛の手足を縛りつけたのだ。

「山県どの、おーい」

走りながら伊兵衛は叫んだ。凍《い》てた雪が、足下でばりばりと鳴った。およそ七八町、足も宙に追って行くとやがて……立止っている主従の姿が見えた。

「お待ちください。山県どの」

伊兵衛は近寄りながら、

「さきほどのお言葉について伺いたいことがある。話が済むまではけっして乱暴はしません」

「東寿、退《さが》っておれ」

大弐はそう云って振返った。

「御不審があるならお話し申そう。しかし、夜も更けて寒気も厳しく、道の上の立話もなるまい。よろしかったら板鼻の宿まで同道なさらぬか」

「望むところです。御一緒にまいろう」

「笠《かさ》も合羽もなく、雪まみれでは寒かろう」

大弐は伊兵衛の姿を、改めて見直すようにしながら云った。

「東寿、包の中になにかあろう。出してお貸し申すがよい」

盲人は背から包を解き下し、綿の入った十徳のようなものを取出した。大弐はそれを伊兵衛の肩へ掛けてやった。

「これでいくらかは凌《しの》げるであろう」

「お借り申します」

伊兵衛は素直に受けて会釈した……そしてふと、初めて津田邸の講筵《こうえん》に出たとき、

――ずっと火桶《ひおけ》の側へお寄りください。

と聴衆にすすめていた大弐の姿を思出した。今もまた同じように、いかにも角の円い、親切な思いやりであるが、伊兵衛には笑止に見えた。いったんは白刃を擬した間柄であるのに、寒さを凌がせようというとりなしが、なんとなく取ってつけたような、空々しいものに思えてならなかった。

――まあどうにでもしてみろ、そんなことで籠絡《ろうらく》される相手とは違うぞ。

伊兵衛はそっと冷笑して、

「拙者が御案内に立ちましょう」

と二人の先へ立って歩きだした。

板鼻の宿へ入ったのは、夜の十時頃であった。いちどやんだ雪が、その時分からまた吹雪だしたので、松葉屋という宿屋へ入って、三人は草鞋《わらじ》を脱いだ。

四の二

「山県どのはさきほど『正しき道』ということを云われた」

「申しました」

「あなたの説かれる『新論《しんろん》』の説が、正しき道だと云うのですか」

宿の湯へはいってから座敷に相対するとすぐ、伊兵衛は膝を正して切出した……大弐は静かな光を湛《たた》えた眼で、若者の顔をひたと見戍《みまも》りながら、

「功刀どのは拙者の新論を読まれましたか」

「読みません。先夜の講演を聴いたのみです」

「それでもけっこう、あれを聴かれたら改めてお訊ねにも及ぶまいと思うが」

「いやお訊ね申さなくてはならぬ」

伊兵衛は大弐の眼を見返して云った。

「山県どのの説は幕府を誹謗し、名を尊王に托《たく》して世人を過つものだと思う。あなたは『得一』の説において禄位二つに別れるは乱世の基なりと云われた」

「お待ちなさい」

大弐は静かに制した。

「ここで新論の末節を論じたところでいたしかたはない。そんな議論は措《お》いて、根本のことを考えてみてはどうです」

「根本のこととは」

「我々はいったい何者なのか、我々の立っているこの国土はどういうものなのか、それをまず検《あらた》めてみましょう……功刀どの、我々は大和の民です。日本という国土に生れ、一天万乗の天皇を戴《いただ》いている、この点にあなたの御異存がありますか」

「それは山県どののお言葉どおりです」

「ではなんの議論もないはずです……拙者の選した『柳子新論《りゅうし》』は、けっきょくそれを明らかにしただけのことです。人間は愚なもので、余りに分りきったことがらは眼に見ず、耳に聞こうとしません。我々が日本人である以上、一君万民の国風が不易であるということは分りきっている。その分りきったことが人々の眼には見えなくなっているのです」

「どう見えなくなっているのです」

「たとえばあなたがそうだ。功刀どの、あなたは小幡の藩士で、代々織田侯に扶持《ふち》されている。織田侯はまた幕府から領地をもらっている。あなたは小幡藩士として主家にことあるときは一身を賭《と》すであろう。また幕府が軍を催す場合にも命を抛《なげう》って働くに違いない。しかし……もしことあって朝廷が召されたとして、功刀どのは即座に家を捨て、身を捨ててお召に応ずる覚悟がありますか」

「しかしそのためにこそ、征夷《せいい》大将として幕府があるではありませんか」

「その幕府が、万一にも朝廷に弓をひくとしたらどうなさる。史書に例のないことではない。もしそうなったらあなたはどうします」

「………」

「あなたの学んだ武道はどう教えます」

大弐はちょっと言葉を切って云った。

「現在武士道の教えるところは主君のために身命を惜しむなかれという。あなたは代々織田家の家臣で、代々織田家の扶持を喰《は》み、その恩顧を受けている。だから織田家のために不惜身命《ふしゃくしんみょう》の覚悟はあるであろう。その主家が、幕府とともに大逆の軍を催したとして、あなたは即座に京へはせのぼることができますか」

伊兵衛は言句に詰った。

「功刀どの?」

大弐は静かに、微笑さえ含んで続けた。

「これはむずかしい論ではない。日本の国民として、あまりに分りきった話です……しかし、あなたはすぐに答えることができない、なぜ答えられないのかお分りですか。つまりあなたも、分りきったことが見えなくなっているからです」

そのとき階下から、なにか罵《ののし》り交わす人声が大きく聞えてきた……そして、それに続いてばたばたと、家の中へ踏込んで来る跫音《あしおと》が、廊下から階段へと近づいて来た。

「……先生」

部屋の隅にいた東寿が、そっと小剣を引寄せながら片膝を立てた……伊兵衛は即座に立上って、

「拙者が見てまいりましょう」

と出て行った……大剣を左手に、階段を下りるとばったり出会ったのは紙屋十郎兵衛だった。後に四五人、家中《かちゅう》の者がいた。

「おお功刀、無事だったか」

「紙屋か、これはなんの騒ぎだ！」

「貴公がどうしたかと思って追って来たんだ。どうしたあいつは、大弐は斬《き》ったか」

「その話は後でする。まあこっちへ来い」

「斬らんのだな、二階にいるのか」

「話があるんだ、外へ出よう」

「いや放せ」

十郎兵衛は一歩退いた。

「我々が貴公の助勢に来たのは事実だ。しかしそれは第二、目的は山県大弐にある。お家の禍根を断つために彼を斬らなくてはならん」

「それは初めからおれが引受けている。いいからおれに任せろ」

四の三

「功刀、貴公まるめられたな」

十郎兵衛の眼がきらりと光った。

「我々は貴公が傷つき、雪の上に倒れている姿を想像して来たところが、貴公は宿の丹前を着て納っているし、どうやら大弐を斬る考えも無くなったようすだ……しかし我々は退かんぞ」

「おれがまるめられたかどうかはべつとして、考えの変ったことだけはたしかだ。とにかくここはいちおう引取ってくれ。仔細《しさい》はあとで話すから」

「いや退かぬ。貴公こそ退け」

十郎兵衛は左手で大剣の鯉口《こいぐち》を切った。

「山県大弐はお家を危くする、我々はお家の禍《わざわい》を未然に防ぐのだ。邪魔をすると貴公とて容赦はない」

「待て抜くな紙屋」

伊兵衛は手をあげて叫んだ。

「おれと貴公たちとなんの要があって斬合うんだ。山県どのがお家の禍根だと、貴公に云ったのはこの功刀だ。そのおれが改めて云う。山県どのに手を出すな。山県どのを斬るまえにおれの云うことを聞け」

「無用だ。すでに変心した貴公の言葉など聞く要はない。通せ功刀！」

「通さぬ……東寿どの」

伊兵衛は振返って、階上へ叫んだ。

「先生を伴れてお立退《たちの》きなさい。ここは拙者が引受けます」

「うぬ裏切り者が！」

十郎兵衛が喚《わめ》きざま抜討ちをかけた。それより疾《はや》く伊兵衛は身を翻して階段の半ばまで跳退いていた。十郎兵衛は、頭上へ打下される太刀を避けようともせず、そのまま足を踏み鳴らして階段を駈《か》け登る。

「功刀は拙者がもらう。大弐を逃すな」

と叫んで詰寄った。

声に応じて、後にいた三人が、裏手へとびだして行くのを見ながら、伊兵衛は大弐主従のいた部屋の前まで退って来た。

「山県どの、東寿どの」

声を掛けたが返事がなかった。

――逃げてくれた。

と思う、そのはなへ、十郎兵衛が絶叫とともに斬込んだ。しかし大剣は空を截《き》って障子を裂き、伊兵衛は裏梯子《うらばしご》のほうへ走っていた。

――大弐どのを落さなくてはならぬ。しかし彼等を傷つけることはできない。

「待て、功刀！」

という声を背に、伊兵衛は裏梯子を滑り下りると、逃げ惑う宿の人々のあいだをぬけて、裏手へとびだした。

先に裏へ廻った三名が、街道のほうへ走って行く姿がちらと見えた。伊兵衛は宿の丹前を着たなりである。裾《すそ》が足にからまるし広い袖《そで》が邪魔だった。しかし懸命に走ってすぐ三名に追いついた。

「待て、待たぬと斬るぞ」

脱兎《だっと》のように、追い越しておいて向直ると、伊兵衛ははじめて大剣を抜いた……伊兵衛の腕を知らぬ者はない。きらりと闇に大剣が閃《ひらめ》いたとき、三名はぴたっと足を止めた。しかしすぐにそこへ、十郎兵衛と他の二人とがはせつけて来た。

「かまわぬ、斬って通れ」

十郎兵衛が叫んだ。

「よし斬ってこい」

伊兵衛は左手に持った鞘《さや》を投げながら応じた。

「話しても分らぬやつはこっちも容赦はせぬ。だが一言だけ云っておく、おれたちは間違っていたんだ、ひと口には云えない。言葉で説明することはできない、けれども山県どのを乱臣と見たのは拙者の誤りだ。小幡一藩の興廃から見たらあるいは禍根となる人かも知れない。しかしそれは山県どのの乱臣であるためではない。おれはいまそれを説明することができない。おれ自身がもっとよく知りたいんだ」

「問答無用だ。功刀、きさま小幡の藩士として、この刀が受けられるものなら受けてみろ」

かっと喉を劈《つんざ》く声とともに、十郎兵衛が体ごと突込んで来た。伊兵衛はわずかに体を躱《かわ》した。そして十郎兵衛が烈《はげ》しくのめって行くのを見たとき、

――正しき道。

という言葉がちらと頭へうかんだ。

――もし朝廷のお召があったら、家を捨て身を捨てて、即座に京へはせ上る覚悟があるか。

そう云った大弐の語気が、まざまざと耳底に甦《よみがえ》ってきたのだ。幕府制度を固くするためにのみ、歪《ゆが》められてきた武士道、忠義を唱えながら、そのもっとも本質たる朝廷への精忠という意義を蔽《おお》い隠してきた武家道徳、その正体が朧《おぼろ》げながら伊兵衛には分りはじめたのだ。

「よし来い十郎兵衛」

伊兵衛は決然と叫んだ。

「おれはいま小幡藩士の功刀伊兵衛ではない。もっと大きな、武士が武士として踏むべき道に立っているんだ。一人もここを通さんぞ」

「かかれ！　たかが伊兵衛一人、斬って通れ」

十郎兵衛が雪を蹴《け》って殺到した……降りしきる雪の中に、白刃が条を描き、蹴立て

る雪が煙のように闇を染めた。

四の四

来栖道之進が江戸から帰って来たのは、それから七日目のことであった……同行した斎藤孫次郎はそのまま自分の家へ帰ったが、道之進は旅装のまま津田邸を訪れた。

頼母は居間で待っていた。

「御苦労であった」

「思わぬことができまして帰国が後れました」

「思わぬこととは、なにか……」

「山県先生はどうなされました」

挨拶《あいさつ》もそこそこに、道之進は声をひそめて云った……旅の疲れもあろう、しかし彼の蒼白《そうはく》な顔にはなにやらもっと重大なものがひそんでいた。頼母は訝《いぶか》しげに眉《まゆ》を寄せて、

「山県先生はあれからすぐ御出立になった。もっともそれについて少し困ったことはできたが」

「なんでございます」

「功刀伊兵衛が紙屋十郎兵衛と若手の者四五人を相手に、板鼻の宿で間違いをしでかしたのだ。仔細《しさい》はよう分らぬ。十郎兵衛と若手の二人が重傷し、伊兵衛はそのまま立退いてしまったが……人を遣わして調べさせたところによると、伊兵衛は山県先生をお護《まも》り申して行ったようすだ」

「伊兵衛が、県先生を……」

道之進にはまるで謎《なぞ》のような言葉だった。初めて講演を聴いた夜、伊兵衛は大弐の説を罵倒《ばとう》して、

「山県どのはいまに殺されるぞ」

と云った。国を危くする説だと云った。その伊兵衛が、こんどは逆に大弐を護衛して行ったという。

「しかし、それはなにかの間違いではありませんか」

「間違いではない。紙屋たちが山県先生を斬ろうとするのを、伊兵衛が邪魔をしたので間違いができたらしい。どうしてそんなことになったか、わしにもまるで仔細は分らぬが、宿場の噂《うわさ》を集めてみるとそうなるのだ」

頼母はそういう間ももどかし気に、

「それで、そのもとの思わぬことができたというのはなんだ」

「江戸の情勢が意外にさし迫りました」

道之進はぐっと身を乗出した。

「県先生に対する幕府の探索は、網の目のように行渉《ゆきわた》っております。学問の上からは松宮主鈴《まつみやしゅれい》どのが主となって働き、身辺のことは大目付が八方へ手を廻しているのです……御存じかも知れませんが、先生の御門下に藤井右門《ふじいうもん》と申される御仁がおります」

「評判だけは聴いている」

「その右門どのが江戸新吉原で刃傷沙汰《にんじょうざた》を起され、公儀の手にお召捕りとなりました……幕府が今日まで、大弐どのに手を着けることができなかったのは『尊皇の大義』を説かれるところに在ったのです。この説が根本であるため、京へ憚《はばか》って手が出せなかったのです。しかし右門どのが刃傷沙汰で召捕られるとともに、幕府は一味捕縛の決心をしたのです」

「なんのために、右門どのの刃傷が先生に累《るい》を及ぼすのか」

「理屈はどうにでもつきましょう。要は県先生を奉行所へ曳《ひ》く口実さえできればよいのです。そしてその手筈《てはず》はできたもようです」

道之進は声をひそめて続けた。

「御家老、ことここに及んでは万事休しました。県先生との一切の関《かかわ》りを断つべきです。一刻もなおざりには相成りません。もし処置が後れますと御家老の位置は水泡《すいほう》に帰します」

「わしの位置？……わしの位置などがなんだ」

「江戸表に於《お》いては、少将さまはじめ、松原郡太夫どのらが蹶起《けっき》しようとしております。ここは先手を打って御家老より県先生を直訴あそばすが必勝の策と存じます」

「道之進、なにを申す」

頼母は唖然《あぜん》と眼を瞠《みは》った。

「わしに……わしに先生を訴えろと云うのか」

「そのとおりです。少将さま御一党の先手を打つのです。さすれば御家老の御身分は今日よりさらに強固なものとなるは必定です」

「分った。そちの思案はよう分った」

頼母は惘然《もうぜん》として云った。

「そうか、今日までそちが県先生に師事するごとく見せたのは、江戸家老やわしが藩政を執っていたからだな。そちは県先生に師事したのではなくて、藩政を執る権力に追従していたのだな」

「御家老、わたくしはお家のおためを思うばかりです。御家老の御身分が御安泰であることを願っているだけです」

「そのために県先生を幕府へ訴えよと申すのか。さような不義無道を犯してまで、お家を安泰にしおのれの身を全うせよと云うのか……帰れ、もの申すも穢《けが》らわしい。帰れ道之進」

道之進は黙って頼母の眼を見上げた……蒼白《あおざ》めた顔に、剃刀《かみそり》のような双眸《そうぼう》が鋭い光を放っていた。彼は静かに座を滑ると、

「お怒に触れまして恐入ります」

と平伏しながら云った。

「なれど、いまいちおう押して申し上げます。御家老の思召がどうありましょうと、幕府の方針はすでに決定しております。少将さまはじめ、松原一味はかならず県先生を訴えるに相違ございません。いずれにしましても、先生の運命は明白でございます。ここは御家老の御意志を決すべき、大切な場合と存じます」

そして道之進は退座して行った。

五の一

「もし、もし……」

闇の中から、あたりをはばかるような呼声であった……伊兵衛は油断なくあたりに眼を配りながら足を停めた。

「誰だ、呼んだのは拙者か」

「おおやっぱり、旦那《だんな》さま」

そう云いながら、路傍《みちばた》の木蔭《こかげ》からとびだして来たのは家僕《かぼく》の五郎次《ごろうじ》だった。

「やっぱり旦那さまでございましたか、お待ち申しておりました」

「こんな処《ところ》で待っていたとはなぜだ」

「お留守のあいだに大変なことになりました。大奥さまもお嬢さまも、お屋敷にはいらっしゃいません。旦那さまにも横目役所から手配がきております」

「そうかやはりあれが禍《わざわい》になったか」

板鼻の宿で山県大弐を救うため、紙屋十郎兵衛はじめ数名の者に手傷を負わせた……そうならぬよう、ずいぶん苦心したが、ついに三四人に手を負わせてしまった。——しかし私怨《しえん》ではない、大弐どのを救うためにしたことだ。津田国老には分ってもらえるであろう。

それまで大弐を刺そうとして、反対に盲無念のために討止められた人々は、津田頼母が仔細なく片付けたのを知っている。だからこの場合も、むろん国老がなんとか後始末をしてくれるだろうと、考えていた。そう考えたから、すぐ帰るよりは、少しほとぼりをさましてからのほうがよかろうと思い、また一方では、もっと深く大弐の学問に触れたいという希望もあって、二十日あまり一緒に甲州路の旅をともにして来たのであった。

大弐は展墓のため、甲斐《かい》の国巨摩《こま》郡篠原《しのはら》村の故郷へ帰るのだった。しかしそれは同時に、故郷の人々と今生の袂別《べいべつ》をする隠れた意味ももっていたので、篠原村では十日あまりも滞在し、有士のために両三回ほど講筵《こうえん》も敷いた……伊兵衛は甲斐路の途上と、篠原村に滞在しているあいだに、大弐の思想をかなり精《くわ》しく聴くことができた。そして、彼は生れ変ったように、明るく大きな視野を与えられ、国体と臣民との本来のつながりをしかと摑《つか》んで、大弐と別れて来た。

武家政治を安泰にするための道徳、かつて至上律と思っていた狭い武士道から解放されて、大きな正しい道をみいだした彼は『今こそ本当に生きる』という強い自覚をもって帰ったのだ。

母や妹のことは、国老が始末をしてくれるものと信じていたし、自分も帰藩したら、改めて来栖道之進とともに、国老の新政のために身を投げだして働こうと考えていた……ところが、いま家僕の言葉を聞くと母や妹は屋敷から身を隠したらしいし、自分にも横目役から追捕の手が伸びているという。これはいったいどうしたことなのか。

「それで、母上はどうしておられる」

「とりあえずわたくしの実家へお匿《かくま》い申し上げました」

「おまえの家は日野の在だったな」

「鮎川《あゆかわ》の向う岸で川治と申すところでございます。ここから二里あまり、すぐに御案内をいたしましょう」

「いや待て……そこは安全な場所だろうな」

「はい、御領分外でございますから、小幡の小役人ははいれまいと存じます」

「よし、それではおまえ先に帰ってくれ」

伊兵衛はきっと夜空を見上げながら云った。

「拙者が無事に帰ったこと、間もなくお眼通りするということをお伝え申すのだ。明日はきっとまいるから」

「でも旦那さま、もしや城下へおいでなさいますのでしたら」

「拙者のことは心配するな。母上への伝言を忘れずに、行け、闇夜で道が危い、くれぐれも注意して行くのだぞ」

「でも……旦那さま」

気遣わしげな家僕の声をあとに、伊兵衛は城下への道を足早に急いだ。

来栖を訪ねようかと思ったがまず国老に会うべきだと考え直して、裏道伝いに津田邸へ向った……まだ宵《よい》の八時頃であったが、雨催いの闇夜で、忍ぶには屈竟《くっきょう》である。

——玄関からは訪ねられない。

それは覚悟していた。

残雪が、斑《まだら》に闇の小径《こみち》の標《しるべ》になってくれた。伊兵衛は遠い人声や、犬の気配にまで注意しながら、やがて津田邸の裏手へ辿《たど》り着くと、いつか大弐を覘《ねら》って忍び込んだ心覚えの場所から、巧みに邸内へと身を躍らせた。

五の二

「……誰だ」

障子にゆらりと人影が映って、低く呼びかけながら窓のほうへ近寄って来る。

津田頼母の声だった。

伊兵衛は丸窓の障子へ身をすり寄せるようにしながら声を忍ばせて、もういちど名乗った。

「功刀伊兵衛でございます」

あっという低い驚きの声が聞えた。

「声を立てるな、いま人払いをして来るまで、そのまましばらく待て」

囁《ささや》くように云って、頼母は足早に向うへ去ったが、間もなく戻《もど》って来ると、廊下のほうの雨戸を開けて手招きをした……伊兵衛は敏捷《びんしょう》に走って行くと、草鞋を脱ぎ、手早く足の汚れを押拭《おしぬぐ》って上へあがった。

「……こっちがよい、まいれ」

頼母は手燭《てしょく》に灯を移し、先に立って渡り廊下から望翠楼の階上へと案内して行った……そこはかつての夜、大弐と別宴を催したところで、東寿が弾じていた琵琶《びわ》の音色は今も伊兵衛の耳にまざまざと残っている。

「いや、挨拶はよい」

燭台に灯を入れると、頼母は待兼ねたように膝《ひざ》を乗出して云った。

「気懸りなのは山県先生のお身上じゃ。先生は御無事か」

「はい、甲斐のお国許《くにもと》まで、無事にお見届け申してまいりました。御家老……拙者板鼻にて家中の者を傷つけましたことは、山県先生をお救い申すためのやむを得ぬ手段でございました」

「それは分っている。しかし、どうして先生をお救い申す気になったのか。聞くところによると、そのもとは先生を乱臣賊子だと申していた一人でなかったのか」

「いま考えますと、まことに身の竦《すく》む思いでございますが、甲斐への旅中と、篠原村に滞在するあいだ先生のお教えを受けて、いろいろと発明いたしました……それで」

と伊兵衛は膝を正して云った。

「今後は道之進ともよく談合のうえ、微力ながら藩政御改革のために、一身をなげうって御奉公を仕《つかまつ》りたいと存じます」

「……なんと申して、その言葉に答えたらいいか」

頼母は急に力の抜けたさまで眼を伏せた。

「なんと云ったらいいのか、功刀、遅かったぞ。わずかの間になにもかも変った」

「御家老……」

「山県先生が幕府の手にかかるのは時日の問題となった。わしの藩政改革に反対する一味の者は、すでに幕府へ訴状を出してしまった。万事挫折《ざせつ》だよ、功刀」

「訴状とはどのような訴状です。先生を訴える理由があるのですか」

「幕府顚覆《てんぷく》の謀反《むほん》ありと称したのだ。この点だけなら先生は弁明をなさるに違いない。しかし当藩へ講演に見えられたとき、兵法問答のうえで江戸城攻略と、碓氷峠を中心にして軍略を述べられたことがある。むろん……これは先生に師事する者だけ集ったおりのことだし、問答の例として述べられたのだが、それを筆記した者があって訴状に精しく認《したた》めて出したのだ」

「先生に師事する者だけの集りであったら、外へ洩《も》れるようなことはないと存じますが」

「かつては師事し、先生の思想に傾倒していると見せながら、じつはそうでなく、おのれの出世立身のためそうしていた者があった……その者が事態不利とみて寝返りをうったのだ」

「そんな人間が……いや、いちどでも先生の説明に耳を傾けたことのある人間の中で、そんな卑劣なことのできる者がおりましょうか」

「功刀……そのもとは帰ってすぐここへ来られたのか」

頼母はふいに別なことを訊《き》いた。

「は、途中で家僕に出会い、母どもの在所だけ知れましたのでとりあえずここへお伺い申しました」

「では母御にはまだ会っていないのだな」

「まだ会いません」

「じつは来栖からわしのもとへ……」

云いかけたが、舌が鈍るらしく、ちょっと言葉を切ってから続けた。

「そのもとの妹と道之進との縁談を破約にしてくれと申込んでまいった」

「それは意外な話です」

伊兵衛は信じられぬというように、

「事実でございましょうか、佐和を嫁に欲しいと申込んだのは道之進でございます。母は望まなかったのですが拙者が彼の誠意を認めて婚約を結んだので、いまさら彼から破約を申出るはずはないと思いますが」

「なかだち役を買ったわしにも、こんなことが起ろうとは信じられなかった。しかし功刀……人間が心をむきだしにするときは、善悪にかかわらず恐しい力を現すものだな」

「それはどういう御意でございますか」

「山県先生を幕府へ売るための、訴状を書いたのは道之進だ」

「…………」

「彼は、おのれの立身のために、先生に師事するごとく見せていた。わしの藩政改革が成功するとみて、わしのために働いていた。しかし事態が変り、幕府が、先生に強圧の手をのばし始めると知るや、即座に身を翻してわしから去り、松原郡太夫に一味して先生を売ったのだ……そのもとの妹との縁談を破った理由もそこにある。人間が心をむきだしにする時のすさまじさ、功刀、そのもとはこれをすさまじいと思わぬか」

五の三

伊兵衛はながいあいだ黙っていた。

彼の頭は濁流の渦巻《うずま》くように混乱して、しばらくは考えを統一することも困難だった……彼は道之進の明敏な質《たち》に一目おいていた。道之進の才子肌《はだ》な点には不快を感じても、犀利《さいり》な頭脳と進退のみごとさには敬服していた。

――気に喰《く》わぬやつだ。しかし人物としては一流にぬきんでているだろう。

そう信じていた。だからこそ、母の反対を押切ってまで佐和を嫁にやる約束をしたのだ。

ところが彼はこんなふうに本心をさらけだした。婚約の破棄はまず措くとして、あれほど傾倒しているかに見せた山県大弐への態度が、じつはおのれの立身の手段であったとは赦《ゆる》しがたい。事実だとすれば、それがもし事実だとすれば……いや！　人間はそんな陋劣《ろうれつ》にはなれぬはずだ、心の企《たくら》む不善にも限度がある。そこまで自分を卑劣に堕すことは不可能だ。——おそらく彼にはなにか思案があるのだろう。国老とのあいだに意志の齟齬《そご》する点があるのに違いない。

伊兵衛は一縷《いちる》の希望にたどり着いて、

「来栖は屋敷におりましょうか」

と顔をあげた。

「止《や》めたほうがよい」

頼母は静かに頭を振った。

「会ったところでどうにもならぬ。ことにそのもとへ追捕の命令が出ている。ことここに及んでは小幡に留《とど》っても無益じゃ。県先生によって発明するところがあったなら、その道のために身を捧《ささ》げるがよい……世中へ出て行け、そして先生の教える正しき道を、少しでも多く世の人々に伝えるがよい」

「拙者は来栖に会います。そのうえで仰《おお》せのようにいたします」

「自ら死地に入ると同様だぞ」

「拙者はそうたやすくは死にません。また死ぬことを怖《おそ》れてもおりません……御家老、また改めて御意を得ます」

「待て。どうしても会いたいならわしが手紙で呼び出してしんぜよう。そのもとは崇福寺の門前で待っているがよい。来栖がそこへ行くよう手配をする」

「しかし、彼が来ましょうか」

「来なかったら押掛けても遅くはないであろう、大丈夫行くと思う」

「ではお願い仕ります」

伊兵衛は津田邸を辞した。

外へ出てから、崇福寺の梅叟和尚《ばいそうおしょう》がかねて松原郡太夫一味であったということに、伊兵衛は気付いた……そうだ、道之進がもしこれで崇福寺へ来るとすれば、松原一味に寝返ったことも明白になる、そう思った伊兵衛は、そこで自らひとつの決意をもたなければならなかった。

寺へ近づいた彼は、山門の前にある茶店の軒下へ入った……昼だけ茶を汲《く》む老婆がいて、夜になると誰もいないから、夜風、人眼を避けるには屈竟である。

しかし長く待つ必要はなかった。

遠い跫音を耳にしたので、伊兵衛がそっと覗《のぞ》いて見ると、提灯《ちょうちん》の火が一つ、急ぎ足にこっちへ近寄って来る……じっと身をひそめたまま待っていると、それはまさに来栖道之進だった。しかも自分が持っているもので、下僕も伴《つ》れずただ一人だった。

——しめた。

伊兵衛は頷《うなず》きながら、相手が眼前に近づいたとき、つかつかと参道の上へ出て行った。

「来栖、待兼ねたぞ！」

突然そう云《い》って行手を塞《ふさ》がれた道之進は、あっと低く声をあげながら二三歩退《さが》った。

「……誰だ、誰だ」

「なにをそんなに驚くんだ。おれだよ」

「……く、功刀……」

「伊兵衛さ、待っていたんだ」

「ではあの手紙は」

道之進がもう一歩退るのを、押えつけるように伊兵衛が叫んだ。

「止せ、逃げようとしても無駄《むだ》だ。おれは貴公に訊きたいことがあって来てもらったんだ。訊きたいことを訊くまでは放さん」

「そんなら家へ来るがいい。なんのためにこんなことをするんだ」

「おれがいまどんな身上かということは知っているだろう、手間は取らせぬ。まあ、こっちへ来て掛けないか」

「縁談のことなら、拙者は知らんぞ」

道之進は懸命に、立ち遅れた自分を取戻そうとしながら、伊兵衛とともに茶店の中へ入って来た……伊兵衛が提灯を受取って、縁台の上に置き、道之進と相対して腰掛けながら、

「貴公が知らなくて誰が知っているんだ」

「母だ、母が独りでしたことなんだ」

「理由があるのか」

五の四

「恥《はじ》を話さなければ分らない」

道之進はふと眼を伏せながら云った。

「貴公にもこれまで話したことはないが、拙者の母は、拙者の立身出世ということを第一に考えているひとだ。そのためには自分の身を殺すこともいとわぬし、どんなことでもする覚悟でいる」

「佐和を妻にしては立身の妨げになるとでもいうのか」

「打明けて云えばそれだ。母はこの縁談のまえから、江戸詰の年寄役平賀準曹《ひらがじゅんそう》どのの

娘と話を進めていたのだ。それがなかなかうまく運ばないうち、拙者のたっての望みで佐和どのとの話をいちおう承知した……ところが、つい最近になって、こんどは平賀のほうからぜひといって話を蒸し返してきたのだという」

「それだけの理由で、佐和との話を破約しようというのか」

「いや、それは母の意志がそうだというだけで、拙者はなにも破約するとはいわぬ」

「しかし、津田どのへ申入れたことは知っているのだろう……知らないのか」

「知っている。母の意志でどうにもしようがなかったのだ。しかし拙者としては、国老なり貴公のほうから拒まれるのは必定と思っていたから、そのうえで母を説得しようと」

「できなかったらどうする。貴公が我々の拒絶を楯《たて》に母御を説いて、それでもならぬと云われたらどうするのだ……来栖、だがおれの訊きたいのはそんなことではない」

「………？」

伊兵衛はじっと相手の眼を見ながら、

「貴公はまだ山県先生に心服しているか」

「……それは、どういう意味だ」

「どういう意味でも、あらゆる意味に於《おい》てだ。いつか雪の夜、講演のあった帰途に話し合ったことがある。今でも貴公はあのときと同じように先生を尊崇しているか」

「むろん、それは、先生の思想は立派なものだ。しかし拙者は今になって思出すが、貴公があのとき大弐どのは斬られるといった。あの言葉はたしかに一理あると思う」

「おれの言葉などはどうでもいい、貴公の本心が知りたいんだ。本当の考えを聞かしてくれ。貴公はもうあのときほど先生に傾倒していないのではないか」

「先生は今でもけっして」

「ちょっと待て、来栖」

伊兵衛は手をあげて遮《さえぎ》った。

「おれはこの場かぎりの云い抜けは聞きたくないぞ。貴公は学問がある、機智《きち》も豊富だ、伊兵衛などは手もなく云いくるめられると思うかも知れない。しかし、今夜の伊兵衛は少し違うぞ。わずか二十余日のあいだではあるが、おれは世間の嘘実《きょじつ》と、人心の表裏とをいろいろと見てきた。言葉の綾《あや》や巧みな云い廻《まわ》しではもうごまかされない。いいか、貴公も武士だ。つまらぬ見栄《みえ》や外聞を棄《す》てて本心を云ってくれ」

「拙者の……山県先生に対する気持は、以前と少しも変ってはいない。それは、武士の名に賭《か》けて誓う。しかし功刀……いま幕府は先生を捕縛する手段をととのえている。このまま棄てておいてはお家に重大な累を及ぼすのは必定だ」

「それで先生を幕府へ訴えたのか」

「功刀、それは違う。そんなことを、拙者がすると思うか」

「もっとはっきり云え。おれの眼を見ろ、おれの眼を見てはっきり云うんだ」

「拙者は知らん。誰《だれ》が貴公にそんなことを云ったか知らぬが拙者の知ったことではない。松原郡太夫一味か、少将さまの手で」

「黙れ、黙れ来栖」

伊兵衛はつと立った。

「それなら訊くが、今夜なんの要があってここへ来た。梅叟和尚はかねて松原どのに一味の仁と知っているだろう。その和尚のもとへ、なんのために忍んで来たのだ」

「……それは」

「偽《に》せ手紙と知らずに来た。それがきさまの本心を語っていることに気が付かぬか」

「…………」

「来栖、おれは、きさまを斬るぞ」

蒼白になった道之進の顔を、さっと恐怖の色が走った……それはどたん場に追詰められた野獣の表情に似ていた。伊兵衛はその女のように美しい顔を、心から忿怒《ふんぬ》と侮《ぶ》蔑《べつ》の眼で睨《にら》み下しながら、それでもなお、道之進の悲鳴の中からでも、底を突いた本音が出ることを希望した。

「道之進、立て！」

叫びながら大剣の柄《つか》へ手をかけた。

刹那《せつな》！　道之進は身を躍らし、縁台を伊兵衛のほうへはねあげて、毬《まり》のように外へとびだした……伊兵衛は一刀その背へあびせたが、届かなかった。それで、逃さじと追って出た。

あとにははね飛んだ提灯が、生物のようにめらめらと燃えだした。

六の一

鼬《いたち》のように素早かった。

背をかがめて、疾走していた道之進は、用水堀の土橋の袂《たもと》まで来たとき、足袋跣《たびはだし》の足を、凍《い》てた雪に踏み滑らせて、だっと顛倒《てんとう》した。

――しまった。

はね起きようとするうしろへ、

「来栖、動くな！」

と叫びながら伊兵衛が殺到した。

道之進は起きようとした姿勢をそのまま、本能的に防禦《ぼうぎょ》のかたちに振り向けた……つり上った眸子《ひとみ》と、まくれた唇《くちびる》のあいだから剝《む》きだしになっている歯と、暴々《あらあら》しく喘《あえ》ぐ息と……伊兵衛は路上の雪の仄明《ほのあか》りにそれを見やりながら、

——これがこいつの正体だ。

——小幡きっての美貌《びぼう》も、織田家随一と称された俊敏の才も、ひと皮剝けばこんな卑《いや》しい、哀れな見下げ果てたものだったのだ。

——これがおれの義弟になるやつだったのか。

忿怒と、憐愍《れんびん》と、軽侮と、色々な感情が閃光《せんこう》のように頭のなかでひらめいた。

「立て来栖、立って刀を抜け」

「……いやだ」

道之進は肩で息をしながら、かすれた声で女のように叫んだ。

「拙者はいやだ、拙者には貴公と斬り合う力はない、それは貴公が知っているはずだ。斬るならこのまま斬ってくれ」

「きさまおれが斬らんとでも思っているか」

伊兵衛は白刃の切尖《きっさき》を道之進の面上につきつけながら、

「きさまはまだ自分の陋劣さに気付いていないだろう。ちっぽけな才分に慢じて、お

のれの栄達のために山県先生を売り、津田国老を売り、友を売り、婚約をさえ売った……きさまのそのとり澄ましたかっこうや分別のありそうな進退言説は、あるいは人々を瞞着《まんちゃく》してうまうま出世したかも知れぬ。だが、……いったいどれほど出世ができるんだ、それだけの代価を払ってどれほどの栄達ができるんだ」

「………」

「仮にきさまが小幡一藩の家老になれたとしよう、しかし高々二万石の家老が、そんな代価を払うほどの栄達だと思うのか、来栖」

「………」

「人間が生れてくるということはそれだけで荘厳だ。しかしもしその生涯《しょうがい》が真実から踏み外れたものなら、その生命は三文の価値もない、狡猾《こうかつ》や欺瞞《ぎまん》はその時をごまかすことはできても、百年歴史の眼をもってすれば狐《きつね》の化けたほどにも見えはしないぞ。大臣大将の位に昇るものは星の数ほどあるが、青史に名を残した人物がどれだけあった……来栖、きさまはいくら長生きをしても百年とは生きられないんだぞ。経《た》ってゆく一日一日は取返すことができないんだぞ。そんな卑劣な、醜汚《しゅうお》なことをしていて、きさまは人間に生れてきたことを誇れると思うのか」

道之進の肩はいつか細々とすぼまっていた。凍てた雪の上に坐《すわ》ったまま深く頭を垂れ、両手は袴《はかま》の襞《ひだ》をくしゃくしゃに摑んでいた。

「おれはそんなきさまを生かしてはおけぬ。斬ってやる、覚悟しろ、来栖」

「……斬ってくれ」

道之進は噎《むせ》ぶように云った。

「貴公に云われるまでもなく、拙者は自分の卑しさを知っていた。どんなに俊才だの人物だのと云われたって、自分の値打は自分がいちばんよく知っている。拙者は評判を聞くことが苦しかった。そして自分の本当の値打が分ったとき、いままでの評判が悪罵《あくば》に変るだろうと思うと、どうしても自分を評判どおりの人間にしなければならぬと思いはじめた……どんなことをしても……そうしなければならぬように思われた。功刀……拙者が正身の来栖道之進にかえるのは、一日のうちただ眠っているときだけになってしまった。あとは拙者じゃない、噂や人望が拵《こしら》えあげたまったく別な人間だった。拙者には苦しく、重荷で、辛《つら》い辛い別の人間の生活だったんだ」

肺腑《はいふ》を絞る声であった。道之進は《は》、面《おもて》を蔽《おお》って泣いた。

「こうなるともう、化けの皮の剝げるまで欺瞞を続けなければならない。しかしいつかはそれが明るみに晒《さら》される。いつかは曝露《ばくろ》するときがくる。いつくるか、どんなかたちで……拙者の頭にはいつもその恐怖があった、独りになるといつもその恐怖で震えていたんだ」

「拙者は山県先生を売った、津田国老の信頼を裏切った、貴公をも、佐和どのまでも裏切った」

道之進はおのれを鞭打《むちう》つように続けて云った。

「生きている以上、おれはこの陋劣な行為をどこまでも続けなければならぬ。功刀……斬ってくれ、それが朋友《ほうゆう》の慈悲だ」

六の二

噎びあげる道之進の声のなかに、ぱちんと大剣を鞘《さや》へ納める音がした……そして伊兵衛が、

「それだけ聞けばいい」

と抑えたような声で云った。

「おれはきさまを斬るつもりだった。けれどそれ以上にきさまの本音が聞きたかった。いまの言葉でおれは満足した。人間は弱点の多いものだ。みんなそれぞれ過を犯している。しかしそれが弱点であり過であると知ったら、大悟一番、はじめからやり直すときだ……世間の評判などは良くも悪くも高が知れてる。そんなものは吹き過ぎる風

ほどの値打もない。大切なのは自分の生命いっぱいに生きることだ。真実のありどころを見はぐらないことだ……来栖、やり直してみろ。ここで斬られて死ぬよりも困難な、むつかしいことだ。しかしいちど本音を吐いてしまえば人間案外に胆《きも》が据《す》わる。やってみろ生きるということは荘厳だぞ」

云い終るとともに、伊兵衛はさっさとそこを歩きだした。

夜道を急ぐあいだ、彼の脳裡《のうり》を去来するものは単純ではなかった……山県大弐が来て、去った。そのわずかなできごとをめぐってなんと多くのことがあったろう。それは山湖の水面へ石を投じたにも譬《たと》えられる、なにごともない平和な生活のなかでは、すべてがそれぞれの位置にあってそれぞれの役割を果しているかに見えた。ある者は湖面に花を咲かせていたし、ある者は根となって人眼に触れぬ水底に隠れていた。魚は平和を娯《たのし》み、鳥は波上に歓《よろこ》びを謳《うた》った。しかしひとたびそこに巨岩が投ぜられるや浮沈そのところを異にするもの飛び去り、圧《お》し潰《つぶ》されるもの、散乱昏沌《こんとん》としてことごとくその所在を変えおのれの位置を失った……真実だったと見えたものが虚偽の正体を曝露し、見えざるものが判然とかたちを現した。投ぜられた石が大きければ大きいほど、その影響の表れも徹底的である。山県大弐の来訪によって、幾多の生命が消え、多くの人の生涯が変った。大弐の大きさもさることながら、それはもっと深く、大弐の説く学説の真実とその価値とが及ぼした結果である。

——そうだ。

伊兵衛は強く自分に頷きながら思った。

——大いなる朝がくるんだ。未明の辻《つじ》に行迷っている魑魅魍魎《ちみもうりょう》は、夜明けの光とともに消えなければならぬ。この国を蔽っている闇《やみ》は、もうすぐ大きな朝を迎えるんだ。

馴《な》れぬ道だったし、暗夜を行くので、鮎川の岸へ出たのはもう東天の白みかかる頃《ころ》だった。

流れを越して、川治の里と訊いて行くと、五郎次の家はすぐに分った……北と東を丘に囲われた、竹藪《たけやぶ》のなかにその家はあった。屋敷廻りには豊かな果樹園があり、畑と田が鮎川の岸のほうまでひろがっていた。

竹藪を廻って行くと、裏のほうから出て来た五郎次と会った。

「おお、旦那さま」

「道が分らなくて少し遅くなった」

「ようまあ、御無事で」

「母上はお眼覚めか」

「はい、いましがた雨戸を繰る音がしたと存じます。御案内いたしましょう」

五郎次は母屋《おもや》の前を横切って、袖垣《そでがき》のようになっている槙《まき》の生垣の向うへ導いた

——家族の住居とは離れて、隠居所でもあろう、松をとり廻した閑素な一棟《ひとむね》がある、その横手で、筧《かけひ》の水を汲《く》んでいたのは佐和だった。

「お嬢さま、旦那さまがお着きでございます」

「え、兄上さまが……」

振返った眼と、近寄って来た伊兵衛の眼とが熱く喰合《くいあ》った。

「兄上さま」「……佐和」

二人の眼は、互いに相手の心のなかまで見透した。そして、短い日数のうちに、すっかり変った兄を、妹を、同じ血の温かい感応で、しみ入るように感じ合った。

「母上にお変りはないか」

「はい……ただ兄上さまのことをお案じなされて、ずっと塩断ちをあそばしていました」

「おまえに色々と迷惑をかけたな」

佐和はそっと袂を眼へ押当てた……五郎次が知らせたのであろう。家の中で仏壇の鐘が鳴るのが聞えて来た。おそらく母が、伊兵衛の無事だったことを、亡《な》き父の霊に告げているのに違いない。

「桃井はどうした。久馬は」

「紙屋さまがお引取りになりました……お二人ともひどい言をおっしゃって、母上さまをお泣かせ申しました」

「もっと苦しいことがあるぞ」

伊兵衛は息苦しいような声で云った。

「あとで精しく話すが、兄は小幡のお家の臣ではなくなる、扶持《ふち》も、家名も捨てる。これからは世間全体を敵にして働くんだ。おまえにも母上にも、もっと辛い苦しいことが重ってくるかも知れぬ……佐和、だがどんな苦しいことがあっても、この国の民として正しい生きかたをするという誇りだけはおれたちのものだ。これだけは忘れてくれるな。いいか」

「はい、よう存じております」

佐和は濡《ぬ》れた眼をあげて兄を見た。

「兄上さまが山県先生をお護りしていらしったと聞きましたときから、母上もわたくしも、覚悟は決めておりました。どうぞわたくしたちのことは御心配なさらず、お望みどおりにお働きくださいまし」

「そうか……そうか。おう母上もそう思っていてくだすったのか、それだけが心懸りだったが、それでおれは肩の荷が下りた。行こう佐和、母上のお顔が見たい」

伊兵衛の顔はいきいきと輝いてきた。

六の三

母はいつもの母だった。

よく戻ったとも云わず、無事を喜ぶ色も表には見せなかった。一刻前に出た子を迎えるように、常と少しも変らぬ態度で、すぐに母子三人の食膳《しょくぜん》に向った。

それが三人揃《そろ》って向う最後の食膳だということは、母親にも佐和にも、伊兵衛にもよく分っていた。けれども『最後』という意味は『終り』ではない。新しい出発のための、旧《ふる》いものと訣別《けつべつ》するための『最後』である。この家族の上にはもう以前のようなかたちでは平和は訪れないだろう。終ることのない困難との闘いが始るのだ。その意味からすれば最後でもあり、同時に新しい出発への最初の食膳だとも云えた。

食事が終って、佐和が片付けに立つと、母の喜和は伊兵衛を仏壇の前へ伴った。

「ここへお坐り、母からひと言だけ云っておくことがあります」

「はい」

伊兵衛は端座した……喜和はしばらく黙って我子の面を見ていたが、やがて静かな、けれど力の籠《こも》った声で云った。

「あなたがこれからどういう道へ進んでゆくか、母はよく知っています……けれど、さっきあなたは佐和に『これから世間全体を敵として働く』と云っておいでだった」

「はい、そう申しました」

「違います。それはあなたの考え違いです。母などが云わなくとも知っているでしょう。小幡のお家の御先祖は織田信長公です。信長公は尊王のお志に篤《あつ》いおかたで、室町幕府の秕政《ひせい》のため、式微にましました禁廷を御造営、また久しく絶えていた欠典をあげ、常職を継ぎ置かれるなど、武家政治はじまって以来、第一に忠臣の誠をお示しあそばしました……お家はこのかたの直流です。あなたはその織田家の臣下なのです。また……今こそ徳川幕府の力が強く、政治の表は江戸に帰していますけれどこの国の民はみな万乗の君を御親《みおや》と仰ぎ奉《たてまつ》っています。一人としてそうでない者はありません……世間はあなたの敵ではなく、みんな同じ志をもつ味方なのです。そう思えませんか」

伊兵衛はほとんど驚きをもって母の言葉を聞いていた。

「母上、ようお聞かせくださいました。仰せのとおり伊兵衛の考えは狭うございました。伊兵衛は闘うことに心を奪われたあまり、つい偏狂人になろうとしていたようです。いかにも、世間を敵とせず、味方として働きます」

「愚な言葉が少しでも役立ってくれたら嬉《うれ》しゅう思います。では……お仏壇へ燈明《みあかし》をあげて、父上にしばらくのお暇《いとま》ごいをなさい」

そう云って喜和は座を退った。

火急の場合にもそれだけは移し守ってきた、我家に伝わる古い仏壇を、そのまま眼前に見たとき、伊兵衛は厳粛に身のひきしまるのを覚えた。

燈明をあげ香を点じ、鳴鉦《めいしょう》して向直ると、母が古い胴巻に包んだ物を差出した。

「これに金子《きんす》が百二十両あまりあります」

「これはいけません母上、拙者は」

「いいえなにも云わずに取っておおき」

母は拒むことを許さなかった。

「お父上が御倹約あそばしたので、まだ少しは手許《てもと》にあります。無くなったらいつでも云っておよこしなさい。母にできる限りは送ってあげます」

「しかし母上や佐和に御苦労をかけては相済みません。拙者はどうにかいたしますから」

「わたしや佐和は女です。賃仕事をしても喰《た》べるくらいのことはできます。五郎次がここに置いてくれるそうだから、けっしてわたしたちのことは心配する必要はありません。持っていらっしゃい」

伊兵衛は黙って平伏し、押戴《おしいただ》いて金包を受取った。

別れに臨んでも、もはや云うべきことはなかった。安泰を祈る門出ではない。生きて再会ができるかどうかも分らない。しかし母上は健気《けなげ》に泣かなかった。

「では母上、御健固を祈ります」

「……死に場所を誤らぬよう。それだけを母は祈っています」

「五郎次、母上を頼んだぞ」

「……旦那さま」

五郎次はそれ以上なにも云えなかった。ただ泪《なみだ》の溢《あふ》れた眼で若き主人を見上げながら、なんども大きく頷くだけだった。

伊兵衛はもういちど母の顔を見た。母の眼は微笑していた。伊兵衛も微笑した。そして思切って外へ出ながら、

「佐和そこまで送らないか」

「はい」

妹はとびたつように追って来た。

六の四

竹藪を廻って丘の上へ出た。

東の山脈の上に、ようやく昇った朝日が八万の光芒《こうぼう》を放って耀《かがや》きだした。道の上にむすんだ霜を踏み砕きながら、丘の下り口まで来たとき、伊兵衛は足を止めて振返った。

「さて、お別れだ。佐和」

「はい」

「別れるまえにひと言だけ云っておく」

「…………」

「ゆうべ道之進と会った。あれをおまえの良人《おっと》に約束したのは兄の鑑識《めがね》違いだった。精しいことは云えないが、ゆうべは道之進を斬《き》るつもりだった」

佐和は顔色を変えた。

「あいつは性根の腐ったことをした。武士の名を汚《けが》すやつだ。それで斬ろうとした……しかし斬れなかった。あいつは才子でもなく智恵《ちえ》者でもない。気の弱い、可哀そうな男だ。火傷《やけど》をするまで火の熱さを知らなかった男だ。それで兄は……赦《ゆる》してやった」

伊兵衛はそっと妹の肩へ手を置いた。

「あいつは、おまえにも顔向けのならぬことをした。けれどもう忘れてやれ、兄も赦したんだ。おまえも忘れてやれ」

「……はい」

「分ったらいい。では……母上を頼むぞ」

佐和は感動を籠めた眼をいっぱいに瞠《みひら》いて兄を見上げた。伊兵衛はやさしく妹の肩を叩《たた》き、にこっと笑って手をあげた。

「さらばだ」

「……どうぞ御健固で」

伊兵衛は頷いた。もういちど頷いた。それから大きく右手を振って、力のある足どりで、坂を下りて行った。

めざすは八塩《やしお》の温泉を越えて秩父《ちちぶ》路へ、そして江戸へ、日輪のさしのぼる東へ、東へ。

佐和は溢れくる涙を押し拭い、押し拭い、いつまでも見送っていたが、やがて兄の姿が林を廻って消えると、静かに家のほうへ引返して来た……するとちょうどそのとき、反対のほうから丘を駈《か》け登って来た旅装《たびごしらえ》の武士が一人、佐和の姿を認めると、あっと叫びながら走り寄って来た。

「佐和どの」

「……………」

振返った佐和は、笠《かさ》を脱《と》った相手の顔を見るなり、たじたじと身を退《ひ》いた。

「……来栖さま」

それは来栖道之進であった。彼は脱った笠を左手に持つと、蒼白《あおざ》めた顔に、両眼を熱く光らせながら進み寄った。

「佐和どの、まだ伊兵衛はおりますか」

「……いいえ」

「もう出立しましたか」

「はい、いまあの道を向うへ」

「そうですか」

道之進はつと低頭《おじぎ》した。

「赦してください佐和どの、道之進はゆうべ生れかわりました。あなたにも、小母上にも合せる顔がありません。先日来のことは、ただお赦しを願うだけです……拙者はお暇をとりました。母も家も捨てました。これから伊兵衛のあとを追って、彼の草鞋《わらじ》の紐《ひも》を結びます。生命のあるかぎり伊兵衛とともに働きます。どうか道之進の愚かな行為を赦してください」

「そのお言葉で充分でございます」

佐和も声を顫《ふる》わせながら云った。

「破約のお話がありましたときも、わたくしには来栖さまの他に良人はないと決めておりました。本当に破談になったら、わたくしあなたの前で自害するつもりでいました」

「……では、赦してくれますか」

「たとえあなたがどのようなお身上になろうとも、わたくしは来栖家の妻でございます」

罪を責められるよりも、それは道之進にとって耐えがたい呵責《かしゃく》の言葉だった……彼は低く頭を垂れやや しばらく息をのんでいた。

「あなたの、いまの言葉が、道之進にとってはなによりの餞別《はなむけ》です。これでもう、怖《おそ》れるものはありません……小母上にはお眼にかからずにまいります。どうぞお二人とも御健固でいらしってください」

「はい。来栖さまもどうぞ……鮎川の畔《ほとり》で、いつまでもお待ち申している者のあることを、どうぞお忘れくださいますな」

「帰って来ます」

つきあげてくるものを抑えて、道之進は噎ぶように云った……男の火のような眼を、心の内へ迎え入れながら、佐和はひそかに独り呟《つぶや》いた。

――これでわたしは、このかたを二度失うのだ……けれどこのかたの心だけは、こんどこそもう離れることはない。

帰って来ます。

それが最後の言葉だった。道之進は佐和の眼を瞶《みつ》めたまま歩きだした。やがて足を速めたが、振返るたびに、佐和の眼と彼の眼とは熱く結びついた……やがて道は下り坂になり、道之進の姿は隠れていった。伊兵衛の去った道をまっすぐに、彼もまた東へ、東へと去って行った。東へ……東へ。

陽はいよいよ高く、松林では鳥が祝福の声をあげはじめた。頂に雪をのせた山々は、あさ緑に晴れあがった空の下にあって、もう微《かす》かに、春の萌《めば》えを告げていた。

（「新国民」昭和十五年十二月号～十六年五月号）

梅月夜

一の一

「成田《なりた》から相談を持って来たのだがな」

井波太吉郎《いなみたきちろう》は客間へ通りながら、努めてなんでもない調子を装いつつ云《い》った。……千之助《せんのすけ》は黙って坐《すわ》った。

「また陽気が戻《もど》ったようじゃないか」

太吉郎は手を揉《も》みながら部屋の中を見廻《みまわ》した。

「ばかに今日は冷える、焼津《やいづ》の梅はもう咲きはじめたというが、これでは花が凋《しぼ》んでしまうだろう」

千之助はやはり黙っていた。……花が凋んだっておれの知ったことじゃないという顔だった。

「そこで成田からの話だが」

「…………」

「ここへ家を建増したいと云うんだ、菊枝どのの嫁入りのときの支度にというので、古くから木が買ってあったらしい。それで、ここが狭いからというのではなく、娘になにかしてやりたい親心から菊枝どのの居間だけ建増しをしたいと云うんだ、なにしろ」

と、太吉郎は笑いながら云った。

「なにしろ国家老の娘が、貴公の言分を通して一紙半銭も持たず、身一つで輿入《こしい》れするんだからな、このくらいのことは先方の望みどおりにしてやっていいと思うが」

「あの娘は評判よりも美しい」

千之助は、ふと遠くを見るように眼をあげながらまるでつかぬことを云いだした。

「おれはあの娘を二度見たことがある、いちどは端午《たんご》の節句に招かれたとき、あの娘が庭の池畔《ちはん》で菖蒲《しょうぶ》の花を剪《き》っていた。かがんだ腰つきや、柔かい円味のある小さな肩や、菖蒲の緑が映って青ずむほど冴《さ》えた顔つきが、いま考えても美しいなあと思うほどだった」

濃い眉《まゆ》と、意志そのもののような一文字の唇《くちびる》とこの二つが千之助の性質を代表していた。常に紛れのない眉宇《びう》、明確に所信を示す口許《くちもと》、どんな場合にも動《ゆる》ぎのない、はなはだ性格的な顔である。彼は駿河《するが》の国田中藩の馬廻り番頭《ばんがしら》で三百石を取る、父は高《たか》沖六左衛門《おきろくざえもん》といって、江戸やしき用人まで勤めたが、七年まえに妻とあい前後して死んだ。六左衛門も古武士型の勤直家であったが、千之助はまた若いうちからそれに輪を掛けたような存在で、当時の、弛廃《しはい》した寛政気風の連中からは、ひどく煙たがられていた。

「もういちどは道で会った」

千之助はさらに続けた。

「蛍狩《ほたるが》りにでも行くらしい、下郎二名と婢《はした》を三人伴《つ》れていたが、朝顔を染め出した絽《ろ》の単衣《ひとえ》と黒い繻子《しゅす》の帯とが、いかにもいい調和で、菖蒲のときとは一段とたちまさった美しさだった」

「これは驚いた、こいつは意外だ。貴公が婦人の姿などに、そんな綿密な観察眼を持っていようとは知らなかったぞ、これはひとつ」

「まったくあの娘は美しいよ、……だから」

太吉郎の言葉にはかまわず、千之助は歯切れのいい口調であった。

「この庭をとりひろげて、池を掘って花菖蒲を植えて、あたらしく建てた住居から婢の三四人も伴れて、花を剪りに出る姿はさぞ絵のような景色だろう。……まるで眼に見えるようだが。しかし、おれには似合わぬ」

「そういう言いかたは止《よ》そう、それでは菊枝どのがいかにも贅沢三昧《ぜいたくざんまい》の人に聞える、問題はただわずかに居間を建増すというだけじゃないか、世間で普通にやっていることとだぞ」

「この家にも妻の居間はあるよ、祖母も母もそこで生活してきたんだ。……おれはこの家でもっともそこを神聖な場所だと思っている、高沖の嫁にはその他に居間はない」

「それじゃ建増しはいかんと云うのか」

「初めから云っているとおりだ」

千之助はにべもなく答えた。

「夏冬の着替え一枚ずつ、帯二本、おれの女房にそれ以上の支度は分が過ぎる、それでよかったら嫁にもらうと、そう伝えてくれ」

千之助は云いも終らず、卒然と立った。それがあまり不意だったので、太吉郎はびっくりして、坐ったまま体をひらいた。……千之助は大股《おおまた》に行って障子を明けると、

「……誰だ！」

と鋭く叫んだ。

その声でもういちど驚いた太吉郎が、振返って見ると、庭前に一人の見馴《みな》れぬ若侍が白刃を手に、蒼《あお》い顔をして立っていた。……袴《はかま》の裾《すそ》が裂けているし、着物には血が滲《にじ》んでいる。

「お願い、お願いです」

彼は血走った眼で千之助を見上げながら、嗄《か》れた声で喉《のど》いっぱいに叫んだ。

「親の敵を討ちもらし、助勢の人数に追詰められています、命が惜しいのではありません。敵を討たずに死ぬのが残念なのです、お見掛け申してのお願い、武士の情にしばらくお匿《かくま》いください」

「心得た、お匿い申す」

千之助は言下に頷《うなず》いて、

「そこの横を裏へお廻りなさい。追手は拙者が引受けます」

「かたじけない！」

若侍の眼が喰入《くいい》るような感謝の色を表わした。千之助は太吉郎に眼配せをして、大剣を右手に庭へ下りた。

一の二

少しまえから降りだしたらしい、大きな牡丹雪《ぼたんゆき》の舞うなかを、急いで裏木戸まで行ってみると、ちょうどいま駈《か》けつけた四人の武士が、木戸口から入ろうとしているところだった。……みんな同家中《かちゅう》の、顔馴染《かおなじ》みの者だった。

「おお高沖、いまここへ逃げこんだやつがあるはずだ、見なかったか」

「来た、中にいる」

「しめた！」

春田甚内《はるたじんない》という徒士組《かちぐみ》の男が、そう叫びながら押入ろうとするのを、千之助は固く木戸を閉して止めた。

「入ってはいけない」

「え、……なに」

「仔細《しさい》は知らぬが敵討ちだという、見掛けて頼まれたから拙者が匿まった。理非の明らかになるまで預るからこの場は帰ってくれ」

「高沖それはいかん」

原久馬《はらきゅうま》という、国家老成田別所《なりたべっしょ》の甥《おい》に当る若者が前へ出て来た。

「あいつはいま町屋の辻《つじ》で園部《そのべ》と玉沢《たまさわ》を斬《き》っている。もし取逃がしでもしたら一藩の面目問題だ、ぜひともここで引渡してくれ」

「駄目《だめ》だ、いちど預った以上、理非を糺《ただ》さぬうちは渡すことはできぬ、とにかくここはいちおう引取ってくれ」

「貴公、同藩の好《よしみ》を捨てて他国者を庇《かば》うのか」

「同藩の好は道理に眼を瞑《つむ》ることではない、仇討《あだう》ちといえば武士として軽からぬことだ、なんと云われても渡すことはできぬからそう思ってくれ」

思切った挨拶《あいさつ》なのでみんな気色ばんだ。しかし原久馬がそれを抑えた。そして彼は、にっと皮肉な微笑をうかべながら、

「貴公の武道一点張りは立派だが、高沖」

と刺すような調子で云った。

「そういつもいつも大義名分が通るとは定っていないぞ、貴公のその正しさが、貴公のために禍《わざわい》とならなければ仕合せだ。……世間は貴公が考えるほど単純ではないからな」

千之助は黙っていた。久馬は伴れのほうへ、おい帰ろう、と叫んだ。

「では我々は帰る、ただし狼藉者《ろうぜきもの》はたしかに貴公へ預けた、もし逃がしでもしたらその責任は引受けるだろうな」

「拙者が預った以上その懸念は無用だ」

「それを聞けば安心だよ」

久馬はもういちど唇で笑った。

平然と四人が去るのを見送ってから、木戸に掛金を下ろして千之助は戻って来た。

太吉郎はいまのようすを見ていたのであろう。気遣わしげに帰り支度をしながら、

「高沖、貴公みんなを怒らせたぞ」

「怒りたいのはおれだ。それよりいまの男はどうした、傷をしていたようではないか」

「いま嘉門《かもん》が手当てをしているが、大した傷ではないようだ。とにかくおれは久馬を追っかける、事情を話しておかぬと面倒だ」

「成田どのへの返辞も忘れるな」

「はい承知仕《つかまつ》りました。なんでも貴公の御意次第、おればかりがつまらぬ役さ」

太吉郎は急いで帰って行った。

千之助は家士たちを呼んで、屋敷廻りの見張りを命じてから奥へ行ってみた。……そこではいま家扶の嘉門が傷所の手当てを終ったところであった。傷は三ケ所あったが、どれも骨には別条のない浅傷《あさで》だった。

若者は二十八九になる弱々しい体つきで、栄養の悪い蒼白《あおざ》めた顔に、おどおどした神経質な眼を光らせていたが、入って来た千之助を見るとその表情いっぱいに感謝の意を表わした。

「どうぞお楽に、遠慮は無用です」

千之助は微笑しながら、

「失礼だが話はあとで伺います。決して心配はいりませんから横にでもなって、少し体を休めておいてください。またあとでお眼にかかります」

そう云ってそこを離れた。

二人が相対して坐ったのは、もう、灯点《ひとも》し過ぎの頃だった。……外には雪がまだやまず、客間の小窓の障子に、ときおりさらさらと舞いかかる音が聞えた。二時間あまりの休息と温粥《ぬるかゆ》とで、ようやく元気を取戻したらしい若者は、燭台《しょくだい》の光にその窶《やつ》れた横顔を照されながら、静かにみのうえを語りだした。

彼の名は宮松金五郎《みやまつきんごろう》という。

米沢藩上杉家の浪人、金右衛門《きんえもん》の子で、松代《まつよ》という妹がある。金右衛門は上杉家で徒士目付まで勤めたが、十数年前に主家を去り、江戸へ出て、兄弟の成長を唯一《ゆいいつ》の希望に、貧しい生活を送ってきた。……すると去年の冬のはじめ、金右衛門は京橋八《はっ》丁堀《ちょうぼり》の街上で、三人伴れの勤番侍に喧嘩《けんか》を売られ、無法にも彼等のために斬伏せられてしまった。

知らせを聞いて駈けつけた時、父は辻番小屋に寝かされていた。まだわずかながら意識があって当の相手の名を云った。それから集っていた町内の人々が、喧嘩の始終を精《くわ》しく話してくれた。相手の三人がひどく酔っていたこと、なかでもっとも年若な男が父を斬ったことなど、見ていた人々の話はみんな同じだった、みんな相手の無法を立証していた。

「して、その三人の相手というのは」

「いずれも御当藩のかたがたでした」

金五郎はそう云って、静かに千之助を見上げた。

二の一

「右の事実をたしかめましたので」

と、金五郎は続けた。

「その足で拙者は芝のお上屋敷を訪ね、仔細を申入れたのですが、こちらを浪人者とみてか満足な挨拶もなく、数回掛け合っているうちに、三名のかたがたは御当地へ帰国してしまったのです」

「当人の姓名は分っているのですね」

「他の二人は分りませんが、当の相手は成田銀之丞《ぎんのじょう》、父が臨終にはっきり申しましたし、見ていた人々もその男が自らそう名乗るのを聞いていたと云います」

千之助の眼にふと、原久馬の皮肉な笑いがうかんできた。……貴公の正しさが、貴公の禍となならなければ仕合せだ。そう云った刺すような口ぶりも耳に甦《よみがえ》ってきた。

成田銀之丞とは、国家老成田別所の二男である、千之助はいま別所の娘と婚約の仲だから、やがて義兄になるべき男なのだ。彼は軽率な質《たち》で、これまでにも幾度か酒のうえの喧嘩沙汰《ざた》があり、数年まえ江戸詰になったのだが、去年の暮、押詰ってから国許へ帰って来ていた。

「それで今日のできごとは……」

「拙者は妹を伴れてすぐに江戸を立ち、正月十日に藤枝へまいって宿を取りました」

敵の名は分っているが顔を知らなかった、兄妹は代る代る城下へ入ってようすを探っていたが、偶然にも今日、金五郎は町屋の辻《つじ》で五六人伴れの侍たちと出会った。高声に話しながら行くのを聞くと、敵の名が幾度も出る。

——この中にいる。

そう思うと矢も楯《たて》も堪《たま》らなくなって、成田銀之丞どのはいるかと声をかけた。すると果してその中から成田はおれだと答える者があった。

金五郎は前後の思慮を失った。

「拙者は父の意趣を名乗り掛けました。銀之丞は返答もなく抜き合せましたが、それと一緒に、同伴の人々も抜きつれ、助勢だと云って取詰めて来たのです」

敵討ちだと再三叫んだが、助勢の人々は手を引かなかった。金五郎は自分の軽卒を悔んだ、そして辛くも助勢を二人ほど斬伏せたが、当の銀之丞は早くも逃げ失《う》せ、反対に助勢の人数がふえるありさまなので、もはやこれまでと思って、辱《はじ》を忍んでその場を逃げて来たのである。

「よく分りました」

話を聞き終った千之助は、しばらく天井を睨《にら》んでいたが、やがて、

「その銀之丞という男はたしかに当藩の者です、及ばずながら御本望を遂げられるよう、御尽力をいたしましょう。……しかし、いま当藩ではお上が御出府中ですから、お許しを願うためにしばらく日数がかかるかと思います。四五日あれば充分かとも思うが」

「とんだ御迷惑をかけて、まことにお詫《わ》びのいたしようもございません。申上げたような身上です。どうぞよしなにお頼み申します」

「それから、外へ出てもし間違いでもあるといけませんから、しばらくここにいたほうがいいでしょう、妹さんには拙者からお知らせをしておきます、宿は藤枝のどこですか」

「佐野屋と申して大松の近くです、まことにむさい宿ですが」

千之助はそれだけ聞くと、安心してよく眠るように云って、自分の居間へ戻った。

この仇討は尋常のことではむずかしい、千之助はそう思った。相手が国家老の子では、家中の者がみな遠慮をするだろう、おまけに彼はやむなくではあるが助勢の者を二人斬った、助勢に出たのが無法なのは分りきっているが、斬られた者の家族は黙っていないに違いない。こう考えてくると、一介の無力な浪士に過ぎない彼を守るためには、主君の上意を乞《こ》う他にてだてはないということになる。

千之助は上訴状を書いた。そしてすぐに家士福田《ふくだ》茂一郎《もいちろう》を呼んで委細を申し含め、その場から江戸邸《やしき》へ急使に立たせた。雪は夜半まで降ってやんだ。

洗ったような、鮮かに強い朝の陽射《ひざ》しが、三寸あまり積った雪にぎらぎらと輝いている。その庭を前にして金五郎と朝食をとってから、千之助が居間へ入ると間もなく、

「成田さまから御客来でございます」

と知らせて来た。

――来たな。

と、思ってすぐ出て行った。

玄関に立っていたのは、意外にも別所の娘菊枝であった。……十八歳の上背のある

体つきで、すばらしく美しい顔だちだが、それはどこかしら冷たい、陶器のような美しさだった。

「いいえ、ここで失礼いたします」

あがれという言葉を遮《さえぎ》って、菊枝はじっと式台に立っている千之助を見上げた。

「父には内証で来ましたものですから、用談だけ申上げて帰りたいと存じますの、……でもこう申上げれば、もうお分りくださいますわね」

「昨日のことですか」

「そうですの、あの狼藉者を渡してやっていただきたいと思いまして、……昨日は久馬と、なにか言葉の行違いがございましたそうで、わたくしお願いにあがりました」

とり片付けた言葉だった。調子も柔かく、いくらか媚《こ》びをさえ見せているが、その態度のなかには、『いやとは云わさぬ』という気持が歴々《ありあり》と見える。

千之助は苛々《いらいら》してくるのを抑えながら云った。

「失礼ですが昨日の男は狼藉者ではありません。親の仇討ちをしようとした、申せば武士の亀鑑《きかん》とすべき人物です。また原からどのようなことを聞かれたか知らぬが、べつに言葉の行違いなどはなかったと思います」

「わたくし精しいことはなにも存じませんの、ただ昨日の……その者を渡していただきたいのですわ、それだけお願いにあがりましたの、お渡しくださいますわね」

「それはできません、残念ですがお断りいたします、まことに残念ですが、それは」

「どうしていけませんの」

娘は千之助の言葉を中途で遮った。まだ装っている優しさは捨てないが、美しい眉は怒りを刻んでいた。

「その男はわたくしの兄の命を覘《ねら》ったのだそうですし、御家中のかたを二人も傷つけています、御城下を騒がせた罪だけでも、御処分を受けさせるのが至当ですわ」

「銀之丞どのをなぜ覘ったのか、あなたはそれを知っていますか」

「取るにも足らぬ話ですわ」

菊枝は蔑《さげす》むように唇を歪《ゆが》めた、

「名もない浪人を誤って斬ったそうですけれど、兄はそのときひどく酔っていたそうですし、まるで覚えがなかったと申しています、どちらにしても高沖さまが顔色を変えてお騒ぎになるほどのことではないと存じますけれど」

「銀之丞どのはそう云いましたか」

千之助は抑えようのない忿《いかり》を感じた、

「誤って名もない浪人を斬ったが、泥酔《でいすい》していて覚えがないと、そう云いましたか。

……それほど腰抜けとは思わなかった」

「高沖さま、いまなんとおっしゃいまして」

「腰抜けと云いました、人一人を斬って覚えがない、この場になってそんな痴言《たわごと》を云うのは命が惜しいからでしょう、そういう人間を腰抜けと云うのです」

「あなたさまは、兄がその男に斬られるのをお望みですの」

菊枝は相手を見上げながら、努めて平気な声を作って云った。

「失礼ですけれど兄は、もう間もなく高沖さまの義兄になるはずです、あなたは見も知らぬ浪人者に、義兄を斬らせたいとお思いになりまして」

「義理にしろ、肉親にしろ、拙者は兄弟に卑怯者《ひきょうもの》を持ちたくはありません。もしそういう者が義兄であったとしたら、武士の作法を教えてやります」

菊枝の美しい顔は蒼くなり、双眸《そうぼう》は辱《はずかし》められた怒りのために憎悪の光を帯びた。彼女はきゅっと唇を嚙《か》みしめ、昂然《こうぜん》と額をあげて千之助を覓《みつ》めていたが、やがて無言で会釈《えしゃく》しながら、裾を払うようにして帰って行った。

千之助の体は震えるような怒りに襲われていた。菊枝の人を見下げた態度、ことに女の身で、兄が人を斬ったことに少しも慚愧《ざんき》の色を見せず、名もない浪人者とか、取るにも足らぬ話とか、驕《おご》りきった道理を蹂躙《ふみにじ》ったことが堪らなかった。

——おれはあれを妻に持とうとしている。

馬鹿な！　千之助は大声に叫びたかった。そしていつまでも菊枝の思いあがった容子や、取り片付けた言葉つきや装われた媚びや条理なき言分が頭から去らず、いつまでも不愉快な怒りが胸を重くするので、ふと思いついて藤枝の宿にいるという、金五郎の妹を訪ねる気になった。

家士たちに屋敷廻《やしきまわ》りの見張りを厳重にするように云いつけ、金五郎には庭へも出てはならぬと固く約束させて、千之助は家を出た。佐野屋という宿はすぐに分った、木賃宿同様なひどい家で、軒先の溝《みぞ》に雪解の水が音を立てて流れていた。

案内された部屋は廊下を鍵《かぎ》の手に曲ったいちばん奥で、鼻のつかえそうな中庭に、それでも一本の老梅がふくらんだ蕾《つぼみ》を付けていた。

「宮松金五郎どののお妹さんですね」

千之助は廊下から声をかけた。

障子を一枚明けた部屋の中に、一人の娘が坐ってこっちを見ていた。線のはっきりした顔である、頰が豊かで黒眼の大きな潤《うる》みを帯びた眸子《ひとみ》が、愛されて育った人柄《ひとがら》をよく表わしている。……娘は膝《ひざ》を固くし、そっと片手を懐剣のほうへ滑らせながら、疑わしげに千之助を見上げていた。

「拙者は高沖千之助と申す者です。あなたの兄上は昨日から拙者が預っています、それをお知らせにあがったのですが……」

「兄が。……兄は無事でございますか」

娘は一瞬べそを掻《か》くような表情をした、千之助はそれを見ると我知らず眼頭が熱くなった。

三の一

娘はすっかり警戒心を解いた。

いちばん感じ易《やす》い年頃を、貧しい浪人生活のなかに育てられたはずであるのに、言葉の端し端し、挙措動作に云いようのない情の密《こまや》かさと、温いゆたかな感じが溢《あふ》れていた。美人という顔だちではなかったが、いっぱいに瞠《みひら》いて人を見るときの、驚いたような眼許に類のない魅力がある、……千之助はその眼差《まなざし》に触れるたびに、ふしぎな愛情が胸へつきあげてくるのを感じた。

「そういう訳で、いま江戸表へ急使を出してあります、乗り継ぎの馬で行けと命じましたから、うまくすると明日の夜か、遅くとも明後日には帰って来るだろうと思います。それまでどうか辛抱していてください」

「御心配をおかけしまして申訳がございません。わたくしが足手まといなものですから、あなたさまにまで御迷惑をおかけいたしまして」

「それもこれもすぐ済みますよ、こういう場合にいくらかでも御助力ができるのは武士の面目です、御本望を遂げられたら、三人でゆっくり祝宴を張りましょう」

娘はそっと微笑した、信じきっている微笑であった。それから立って行って、茶を淹《い》れて来た。しばらくでも引留めておきたい容子だったし、千之助ももっと話していたかった。しかしやがて別れを告げて立った。

「こんど外出ができるときは、晴のお支度をするときだと思っていてください」

「……ありがとう存じます」

娘は白いうなじを見せて低く頭を垂れた。

帳場の者に、若干《いくばく》かの金を預け、くれぐれも娘のことを頼んで宿を出ると、千之助は裏道づたいに城下へ帰って、銀之丞のほうのようすを訊《き》くために井波太吉郎の家を訪れた。……太吉郎は家にいた。千之助と聞いて、玄関へとびだして来た。顔色が変っていた。

「どこへ行っていたんだ」

「……藤枝まで行っていたが、なにか」

「原久馬が斬込んだぞ」

あっと千之助は声をあげた。

「原久馬と春田甚内、他に徒士組の者が五人、表と裏から貴公の家へ斬込んで」

「宮松は、あの男はどうした」

「……やられた」

しまったと叫んでとび出そうとする千之助を、足袋のまま走《は》せ下りた太吉郎が、

「待て、待て高沖」

と、うしろから抱止めた。

「いま行ってはいかん、嘉門の知らせでようすは拙者がいま見て来た、これから横目へ行って処置を願って来る、貴公はここで待っていろ、いま帰っては危い！」

「なにを待つんだ、なにを待つんだ井波！　おれの預った男を斬られたんだぞ、しかもおれが留守の屋敷へ押込んで」

「分っている、だからおれが横目へ訴えて来るよ、貴公が帰っては騒ぎが大きくなるんだ」

「ことここに及んで横目になにができる」

千之助は拳《こぶし》を震わせながら叫んだ。

「銀之丞は国家老の子だ、それがすべてを決定している、横目などが千人出て来たってことの解決はつきゃしない、おれは……おれはあの男に仇を討たせると約束をした、あの男の妹にもそう誓った、いまおれのなすべきことはただ一つだ」

「高沖、貴公まさか」

「おれは武道の命ずるところを行うんだ、汚された道を浄《きよ》めるんだ、放せ井波！」

千之助は大股に出て行った。

屋敷の近くへ来ると、彼の帰るのを見張っていたらしい人影が、ちらちら見え隠れした。千之助は見向きもせずに庭のほうへ入った、……すぐに家士たちと、家扶の嘉門がとんで来た。

雪の消えた前庭に、死体は新しい蓆《むしろ》を掛けて横たえてあった。千之助は静かに蓆をあげて見た。覚悟を決めた、未練の色のない死顔であった、千之助は死体の髪毛をひと握り切ると、懐紙に包んで立上った。

「よしよし、なにも聞くには及ばぬ」

嘉門が恐る恐る仔細《しさい》の説明にかかるのを押止めて、

「おまえたちに防ぎ切れなかったのは分っている、留守にした拙者が悪いのだ、あとで少し話すことがあるからみんな部屋へ来てくれ」

そう云って彼は縁側から上った。

嘉門と家士たちが揃《そろ》って部屋へ行くと、千之助は新しい衣服に着替え、継ぎ裃《かみしも》を着け、髪を水髪の大髻《おおたぶさ》に結んで坐っていた。

「拙者はこれから成田どのへまいる」

みんなが座につくのを待って、千之助は静かに口を切った。

「なにも訊いてはならぬ、拙者が出たらすぐ、みんなこの屋敷から退散してくれ、嘉門には御先祖の位牌《いはい》を預けるから、菩提寺《ぼだいじ》へまいって知らせを待て。忠次郎はこの近くに隠れていろ、江戸から茂一郎が帰って来たら、井波のところへ行って用向を伝えるように云うのだ。……それから嘉門、ここに些少《さしょう》の金子《きんす》がある、これをみんなに配分してくれ、拙者に万一のことがあったら、いずれもよき主人を取って、末ながく繁《はん》昌《じょう》するように祈るぞ」

平伏している家士たちの中に、低く嗚咽《おえつ》の音が聞えた。……千之助はさらに、立退く先を美禰《みね》山の宗洞寺と定めて、大剣を手に立上った。

家士たちは走るように玄関まで送って出ると、式台に平伏して嗚咽のうちに見送った。

三の二

千之助は成田家の客間に坐っていた。

主人の成田別所は五十六になる、肥えた血色のいい老人で、鼻の脇《わき》に大きな黒子《ほくろ》がある、話に熱中してくると、その黒子を摘《つま》んだり撫《な》でたりする。眼蓋《まぶた》の重く脹《は》れた、圧倒的に大きな眼で、肉の厚い唇から出る声は張のある若々しいものだった。

「そうかそうか、……そういうわけか」

別所は苦い顔で頷いた。

「わしはなにも知らんでなあ、さっき久馬のやつめが来て、なにやらくどくど申しておったがろくに聞きもせでほっておいたんじゃが。……のら者めが江戸でそんな不埒《ふらち》なことをしでかしおったのか」

「それでなにか、そのう」

右手で黒子を撫でながら、別所はひょいと眼をあげて千之助を見た。

「いまのその、なんとかいう浪人者の死体は、まだそこもとの家に置き放しというわけなのか。ふむ、それはいかんなあ、すぐに誰かやって鄭重《ていちょう》に葬《ほうむ》らせにゃいかん、早速そうせにゃいかん」

「御家老」

千之助は作法を冒して、大剣を座の左へ置いていたが、それをぐっと引寄せながら、

「死体の始末はことが済んでからでけっこうだと思います、どうか銀之丞どのに支度をおさせください」

「銀に支度をさせろと、なんの支度じゃ」

「お分りになりませんか！」

老人は大きな眼で千之助を見戍《みまも》った。……千之助もその眼を真正面に見返した。老人の背が静かに伸び、肉の厚い下唇がだらっと垂れた、両者の眼は喰合《くいあ》ったまま離れなかった。

「そうせにゃならんか」

老人はやがて嘆息するように云った。

「どうでも、そうせにゃならんか高沖、……あれはのら者じゃが、そこもとにはやがて義兄ともなるやつじゃ、なんとか法はあるまいか」

「これほどの無道が行われて、御家老はまだ他に手段があるとお考えですか、こんな不法を犯しても、我子を武士として生かしておきたいとお思いですか」

「しかし、しかし、なんでそこもとが、あれを、斬らにゃならんのか、見も知らぬ浪人者のために、なんでそこもとが」

「拙者は金五郎に仇を討たせると誓いました。そして彼は拙者の家で斬られたのです。けれどそういう事情がなくとも、こんな悪業が行われたら拙者は同じことをします。誰のためでもありません。人間の大道を正すために！」

力を籠《こ》めて云いながら、千之助は、左手の襖《ふすま》の蔭《かげ》で、人の動く微《かす》かな気配を耳にとめていた。その気配はいま、音を忍ばせて襖際から去ろうとしている。……千之助はもういちど、「武士の道を明らかにするために」と云いながら静かに立った。

「御家老、無礼をいたします」

語尾は、跳躍する体から出た。ひと跳びに、襖へ体当りをくれて次の間、あっ、悲鳴とともに振返ったのは菊枝だった、その向うへ、獺《かわうそ》のように逃げて行く銀之丞の背が見えた、

「あれ、待って高沖さま」

立塞《たちふさ》がる娘を突放して追う、廊下から奥の間、銀之丞は窓から庭へ跳んだ。千之助は必至と追い詰めながら、肩衣《かたぎぬ》をはね、大剣の鯉口《こいぐち》を切った。

庭の南側、槙《まき》の生垣《いけがき》を押破って、銀之丞は隣り屋敷へ脱《の》がれた。原久馬の家である。

「久馬、出会え久馬」

嗄《しわが》れた叫び声が、静かな午後の空気を震わせた。

「高沖が来たぞ、久馬！」

千之助は生垣を越えた。

広庭に原久馬と、家士が四五人とびだして来た、銀之丞はわなわなと顫《ふる》える手でこっちを指さしていた。……千之助は大股に近寄って行った。眼に見えぬ大きな翼のような、緊張した沈黙が庭上を蔽《おお》った。

久馬は千之助の眼を睨みながら、抱込んでいた槍《やり》の鞘《さや》を静かに突放し、

「銀之丞、卑怯な真似《まね》をするなよ」

そう云って前へ出た。……彼は中村流の槍をよくする、小太刀でも家中指折りの達者だった。千之助は大剣を抜きながら、銀之丞をひたと睨んで進んだ。少しも大股の歩度を緩めなかった。それで前へ出て来た久馬とすぐに直面した。

絶叫が起り、両者の体が躍った。……久馬は槍の千段を切放されて庭の隅《すみ》へ跳び、千之助は銀之丞へ大剣をつけて立直った。

「銀之丞、武士らしくしろ」

久馬が庭の隅から叫んだ。

銀之丞は刀を持っていなかった。彼はわなわなと戦《おのの》く手で脇差を抜いた。千之助は依然として黙ったまま、真直ぐに近寄って行った。……そのときうしろへ、久馬が白刃を抜いて殺到した。

ほとんど体当りになったかと見たせつな、千之助の体は左へ大きく外れ、久馬は頸《くび》根《ね》から血を飛ばしながら、前のめりに顚倒《てんとう》した。それより疾《はや》く、銀之丞はなにか喚《わめ》きながら広縁へとび上った、しかし千之助は、ひと跳びにはねあがると、彼を廊下の途中で追い詰め、衿髪《えりがみ》を摑《つか》んでずるずると庭へ引下ろした。

原家の家士たちは茫然《ぼうぜん》として、家の蔭に震えていた。

三の三

その翌々日、井波太吉郎は馬を飛ばして美禰山の宗洞寺へ駆けつけた。千之助は寺の愚得和尚《ぐとくおしょう》と碁敵である、彼は和尚の隠居所にいた。もう黄昏《たそがれ》のことで、太吉郎が着いたとき、千之助は濡《ぬ》れ縁《えん》に腰を掛け、そのうしろで一人の美しい娘が、いま行燈《あんどん》へ火を入れているところだった。

「おい見ろ、みごとに咲いているぞ」

入って来る太吉郎を見ると、千之助はそう云って庭前を指した。……和尚が『蒼《そう》竜《りゅう》』と号《なづ》けた梅の老木が、夕闇《ゆうやみ》のなかに満枝の花を咲かせていた。

「こっちは梅どころじゃないぞ」

太吉郎は近寄って来た。

「午《ひる》過ぎに茂一郎が帰って来た、お墨付を戴《いただ》いて来たから、それをとりあえず老職たちの席へ呈出しておいた」

「老職たちが集ってでもいるのか」

「まるで蜂《はち》の巣を突ついたような騒ぎだ。軽部や松居や野口老は、追手を出せとがんばっていたようだ。しかしお墨付が来た以上どうにもなるまい。お蔭でおれは冷汗の掻きどおしだ」

「お墨付はむろん、仇討御免許だろうな」

「おまけに成田どのは差控えとある、貴公がこんな手配をしてあろうとは知らなかったよ、いつ江戸へ使いをやったんだ」

「そんなことはどっちでもいい、それよりひきあわせておこう」

千之助は振返って娘を招いた。

「これは拙者の朋友《ほうゆう》で井波と申します、色々と今度も面倒をかけました。……井波、これは、亡くなった宮松どのの妹さんだ」

「……松代と申します」

娘は両手をついて会釈した。

「このたびは皆さまに御迷惑をおかけいたしまして、本当に申しわけがございませんでした。死んだ兄になり代りまして篤《あつ》くお礼を申上げます」

「兄上には残念なことをいたしました。さぞ」

太吉郎はそこで絶句してしまった。

三人は同じ哀悼の気持で眼を伏せた。……本堂で夕の勤行《ごんぎょう》が始ったらしく、和尚の澄んだ誦経《ずきょう》の声が聞えてきた。わずか四日あまりのあいだに、なんと多くの転変があったことだろう。その烈《はげ》しさと、辛辣《しんらつ》さと、ぬきさしならぬ宿命感は、いま思うとまるで夢のようである。

「それで、貴公これからどうする」

太吉郎がやがて口を切った。

「宮松どのの菩提所が米沢にあるそうだ。そこへ御尊父と金五郎どのの遺髪を納めに行かれるそうだから、拙者がお付添いをして行こうと思う」

「米沢か。うん、それはいいだろう。米沢まで往復するあいだには、こっちの騒ぎもかたづくだろうから、しかし……」

云いかけて、太吉郎はなにか口籠《くちごも》った。千之助には彼がなにを云おうとしてやめたか察しがついていた。それで笑いながら、

「花菖蒲のことなら心配はいらないぞ」

と、眼配せをして云った。

「もう成田はなんとも云うはずはない。おれは帰参しても江戸詰めを願うつもりだ、貴公にもこれが世話の焼かせじまいにしたいと思うよ」

「おれもそう願いたいものだ。そしてしばらくなにも心配しないで暮したいよ」

太吉郎はそう云って笑った。千之助はなお家士たちの始末を頼んで別れを告げた、太吉郎は二人の旅の平安を祈って帰って行った。

「ああ……月が出ました」

山門まで太吉郎を送って戻った千之助は、梅の老木の側《そば》まで来て声をあげた。

「松代どの、来てごらんなさい」

娘は庭下駄《にわげた》をはいて出て来た。

「まあ……大きなお月さま」

「松林の向うはすぐ海ですから、ここから見る月は格別きれいなんです。幼い頃よく父に伴れられて来て、同じこの梅の木の側で、こうやって見たことを思い出します」

「米沢でも月が美しかったと申します」

松代は唆《そそ》られるように云った。

「わたしはまだ小さくて覚えておりませんけれど、兄はよくそう申しておりました。お江戸の月はこんなによごれているけれど、米沢では洗ったように美しいのですって。……兄は、よく申しておりました。もういちど米沢の月が見たいと……」

娘はぐっと喉《のど》を詰らせた。千之助は手を伸ばしてそっと娘の肩を抱いた。それだけが頼みの力であるように、娘は小さな円い肩をもたせかけた。

「もうすぐですよ」

千之助は空を振仰ぎながら云った。

「明日はここを立ちましょう。元気を出すんです。これから新しい日が始まるんだから。……兄上の代りに、二人で米沢の月をよく見て来ましょう」

松代は泪《なみだ》の溜《たま》った眼をいっぱいに瞠きながら、千之助の顔を見上げた。……泪に濡れた豊かな頬のうえに、月光がほのぼのと降りそそいでいた。

(「講談雑誌」昭和十六年一月号)

熊<ruby>くま</ruby>

野<ruby>の</ruby>

灘<ruby>なだ</ruby>

――両手を地上に、面《おもて》を伏せ、腰を低く。言上するにおいても、かならずお上のかたへ眼をあげざること。

――まんいち御下問などのことある場合には、お側衆《そばしゅう》へ申しあげ、御直答つかまつらざること。

国許《くにもと》でもなんどか云《い》われたし、出府してからもいやになるほど聞かされた。ことに前の日からその朝にかけて、耳に胼胝《たこ》ができるとはこんなことかと思うほど、繰り返して注意されたのである。それでも小三郎《こさぶろう》はべつにうるさがりもせず、云われるだけのことをおとなしく聴いていた。

そのようすがあまり神妙なので、

――なんだ、評判ほどの男でもなさそうじゃないか。

と、役人たちはいちおう安心したのであった。

なにしろ、江戸城中、吹上の庭で、紀州の一漁夫が将軍家じきじきに謁《えつ》をたまわるというのだから、その破格なことはもちろん、もし失策でもあった場合の責任の重大さを考えると、係りの役人たちが心配するのも、決して無理ではなかった。……どうしてそんな前例のない謁見がゆるされたかというと、そのまえの年、すなわち、寛永六年の正月に、紀伊頼宣《きいよりのぶ》から領内で獲《と》れた鯨の臠《にく》を献上した。将軍家光《いえみつ》は生れてはじめて味わう臠のめずらしさに、まだ見たことのない巨魚の習性や、『てがたとり』という紀州独特の獲りかたなどに、ひどく興味を唆《そそ》られた結果、

——このつぎには献上の臠とともに、その鯨を仕止めた漁夫を出府させ、漁のもようを精《くわ》しく話してきかせよ。

と命じた。頼宣は領内の産業開発に熱心だったから、これは捕鯨漁業の発展のために、またとなき機会だと思い、今年の献上にあたって、その鯨を仕止めた『てがたとり』、太地《たいち》の浦《うら》の小三郎を出府させたのである。……小三郎は太地でいちばん古い漁業の網元、和田屋忠兵衛《わだやちゅうべえ》の二男で、兄の清太郎《せいたろう》とともにてがたとりとしては熊野灘《くまのなだ》きっての名手だったが、ぶっきらぼうで癇癪《かんしゃく》もちで腕力が強く、『和忠さまの小三旦那《だんな》が通ったあとは虫も飛ばない』と云われていた。

だから小三郎の出府には、紀州家中でもいろいろ反対があったのである、けれども頼宣がそれでよしというので、ついにこの前代未聞《みもん》の謁見というはこびになったのであった。

「よいか、いま申したところを必ず忘れぬよう、くれぐれも粗忽《そこつ》のふるまいあっては
ならんぞ、わかったな」

吹上の庭の、さだめの場所に坐《すわ》ってからも、よくよく念を押した係りの役人は、小
三郎よりすこしさがって左右にふたり、すぐ後にひとり、三人して若者をとり巻くよ
うにして位置についた。

彼らは土下座である。ひと粒ずつ洗いあげたような、美しい玉砂利を敷きつめた道
が、枝ぶりみごとな松林のあいだを、迂曲《うきょく》して遠く本丸のほうへと続いている。将軍
家光は、やがてその本丸のほうからやって来た。

「おわたりじゃ、したに」

役人の声で、小三郎は額が玉砂利につくほど平伏した。

若き家光は三人の扈従《こじゅう》をつれただけで、足ばやにさっさとあるいて来たが、小三
郎の前へさしかかると、しずかにあゆみをとめた。すると係りの役人のひとりが、平
伏したまますぐに小三郎の披露《ひろう》をした。

「おそれながら申しあげ奉《たてまつ》りまする、これに控えおりまするは、このたび、紀州家よ
り御献上の鯨を仕止めましたる紀州の国熊野の漁夫、小三郎と申す者にござりまする
が、格別の御上意をこうむりまして鯨突きのしだいを言上つかまつります」

家光がうなずくと、扈従のひとりがそこへ床几《しょうぎ》を据《す》えた。……額を玉砂利にすりつけていた小三郎は、家光が床几に掛けるけはいを聞きさだめて、

「恐れながら、ご下問により、熊野の海におきまする鯨突きのしだいを申しあげます」

としずかな声で口を切った。

声はしずかだが、歯切れのいいきぱきぱとした言葉つきである。まず……熊野灘の鯨突きの歴史を語った。その由来は、口熊野の太地に住む和田忠兵衛という者が、堺《さかい》の浪人伊右衛門《いえもん》、尾州領師崎《もろざき》の漁夫伝次《でんじ》というのとともにはじめたのが根元である。和田忠兵衛の祖先は鎌倉幕府に仕えた朝比奈義秀《あさひなよしひで》の裔《すえ》で、有名な和田合戦ののち流浪《るろう》して太地の浦に至り、以来れんめんとそこで漁業を営んでいたものであった。彼らが鯨突きをはじめたのは慶長十三年のことで、以来やく二十五年の歳月が経《た》っていたのである。

「さて、鯨には『上り』と『下り』と申す漁期が年に二度ずつございます」

ここまで云いかけたとき、小三郎の面は玉砂利の上からすこしずつあがりはじめた。

「上り鯨は毎年九月、海の東より西へゆくものを獲りまするので、十二月をもって終

りといたします。下り鯨は春二月より三月末へかけて獲りまするが、これは西より東へ帰るものでございます」

一の二

「この漁に用いまする舟は、網舟、銛舟《もりぶね》、てがたとりの三種あり、七挺櫓《ちょうろ》九人乗りにて、舟ごとに羽指《はざし》という指揮者がおります。網は井戸綱ほどの太さをもって作り、これにて遠巻きに鯨の目おどしをつかまつり、なかに追いこんだところへ銛舟を寄せて銛を打ちます」

言葉がしだいに力づよくなるとともに、小三郎の面はだんだん高くなり、いまはほとんど家光の顔を正しく見上げるばかりになっていた。付添いの役人たちは平伏しているのでわからないが、家光のうしろに侍している扈従たちがはらはらしはじめ、

「……頭が高いぞ、……頭が高いぞ」

と低い声で注意した。しかし聞えないのか、聞えても知らん顔をしているのか、小三郎は平然として語り続けた。

「だい一に打ちいれました銛を『一番』として、その舟へ印旗をあげまするが、印旗は三番までにてこれを手柄《てがら》に数え、その余の銛は旗をあげることはできません。かく

て時いたると見定めました場合、てがた舟よりいちにん、長さ四尺にあまる利刀《かたな》を背負い、太綱を持って漁夫が鯨の背にとび乗りまする」

「ほう、人間が鯨の背へとび乗るのか」

「仰《おお》せのごとくでございます」

その声ではじめて付添いの役人たちがびっくりした。直答はならんと堅く注意してあるのに、平気でそれをやってのけたのだ。

——これはいかん。

と眼をあげてみると、小三郎は上半身をおこし、きちんと正座して両手を膝《ひざ》に、家光を正面に見あげながら語り続けているから、三人とも仰天して、

「これ！　頭が高いぞ」

「御直答はぶれいであるぞ」

「したに直れ、したに、したに！」

声をひそめて叱《しか》った。家光はそのさまを見てにっと微笑しながら、どうするかというように黙っていた。小三郎は驚きもせず慌《あわ》てもしなかった。役人たちの叱り声などは耳にもとめず、

「鯨の背にとび移りました漁夫は」

と落ち着きはらって言葉をついだ、「携えました利刀をもって鯨の背を刺し貫きます。このあいだ瀕死《ひんし》の鯨は海中に沈み、あるいは水面に浮かび、波濤《はとう》の間を縦横無尽に暴れまわります。たとえば狂える奔馬とでも申しましょうか。わきたつ泡《あわ》、飛び散る飛沫《ひまつ》、渦巻《うずま》きかえす海面に出没狂奔する鯨と人と、生命を賭《と》したこの闘いこそ、まことに熊野灘のあらくれどもが『華』とよぶ壮絶にしてすさまじきありさまでございます」

自分でも感動がもりあがってきたものか、そう云いながら、はたと手で膝を打った。はらはらしている役人たちはたまりかねたのであろう、一人がすり寄って、

「慮外な、これ、したに直らぬか！」

と云いながら袴腰《はかまごし》をひいた。扈従の一人もついに立ちあがって、

「ぶれい者、頭が高いぞ」

と叱りつけた。すると同時に、

「…………」

小三郎はぴたっと黙った。そして口をひきむすび、大きな双眼をひらいて、はたと扈従をねめつけた。『なんだ』という表情である。その眼光のはげしさはまるで、烈火のようだったし、昂然《こうぜん》と肩をあげて端座した体つきは、不屈のつらだましいをその

まま絵にしたようにみえた。……叱りつけて立った扈従も、役人たちも、気をのまれて一瞬ぐっと息をのんだとき、家光がふたたびにっと笑いながら、

「話を続けい、小三郎」

としずかに云った、「――みなの者もぶれい咎《とが》めは無用だ、直答もゆるす。小三郎、よいから続けて申せ」

扈従はさがり、役人たちはふたたび平伏したが、小三郎は眼もうごかさず、なにごともなかったような声音でしずかに続けた。

「かように水中をくぐること幾十たび、鯨の背を突き貫きまして、それへ太綱を通しましたうえ、左右の舟へこの綱を繋《つな》ぎ、陸地へとひきあげるのでございます。……この仕方をてがたとりと申しまして、熊野灘の漁夫だけがつかまつる独特の方法でございますが、これは決してたやすくできる技ではございません。銛を充分にいれぬうち背へ乗りますと、まだ鯨の勢がつよいため尾鰭《おびれ》でうち殺され、または海中へ振りとばされてしまいます、また後れてその時をはずしますれば、てがたを取らぬうちに鯨は絶命し、海底に沈んでもはやひきあげることができません。すなわち、いれた銛の利《き》きどころを見、鯨の勢の衰えるよき程をはかるのが、てがたとりの上手下手のわかれでございます」

「このたび送りきたった鯨は、そのほうが仕止めたということであるが、その仔細《しさい》を申して聞かせい」

「ご上意ではございますが」

小三郎はにっと笑をふくみながら答えた。

「わたくしは熊野のてがたとりの仕方を言上つかまつるためにまかりでましたまで、おのれの手柄を吹聴《ふいちょう》する心はいささかもございません、御免を蒙《こうむ》ります」

二の一

小三郎はそのまま江戸城に留められることとなった。

家光は徳川氏歴代の将軍のなかでも、もっとも英気颯爽《さっそう》たる武将だったから、小三郎の不屈なつらだましいがひどく好きになったらしい、紀州家へその旨《むね》を通じて、当分のあいだ話し相手として城中へ詰めることになったのであった。……熊野灘という荒海をものともせず、片舟に身を托《たく》して活躍する漁夫たちの生活は、家光にとっては新鮮な、心をそそられる話題だった。

「そのほうの生家は和田屋と申すそうだが、太地の和田忠兵衛とは縁辺にでもあたるか」

ある日、ふと家光がそう訊《き》いた。

「はい、和田忠兵衛はわたくしの家でございます」

「そのほうの家か」

家光は小三郎の顔を見なおすようにした。

「では先日そのほうが申した和田の由来、鎌倉幕府の勇士朝比奈義秀の裔とかいう、その子孫にあたるのだな」

「いかにも、仰せのごとくでございます」

それがどうかしたか、と云いたげな顔つきだった。よき血統、古き家柄ということがなによりも尚《とうと》ばれた時代である。なかには、私に系図を拵《こしら》えてまで、家柄のよいのを誇る者もあるのに、小三郎の淡々たる態度はつよく家光の気持をうごかした。

「……そうか、そうだったのか」

吹上の庭におけるあの不敵なようすが、そう聞いてはじめて納得がいった。

「朝比奈義秀の血統といえば名家、漁夫でおくべき家柄ではあるまい、そのほうだけの性根があれば武士としても恥しくはないぞ、どうだ、余から紀伊へ話してやるゆえ、武士として祖先の祭を恢復《かいふく》する気はないか」

「ありがたき仰せでございます。父のゆるしさえございましたなら……」

「武士になるというのだな」

「そうあいなれば、祖先の名もあげ、家名のためにも望外の仕合せと存じます」

「では、余から紀伊へ申してやる」

家光はそう云って満足そうに小三郎を見た。小三郎の顔にもめずらしくあかるい微笑がうかんでいた。まったくそれはめずらしいほど、あかるい希望にあふれた笑顔であった。それから四五日して、

——千石で和田家を建てよと、じかに和歌山おもてへ使者をたてた。

ということを家光から聞いた。

どういう返辞が来るか、さすがに小三郎も待ちかねていると、さらに四五日経って、二月にはいった、その四日の日に、紀伊家の者が、国許からの書面を小三郎のもとへ届けて来た。父からの手紙である。すぐに披《ひら》いて読むと、

——急病で倒れ、余命もおぼつかないと思われる。生前にひと眼会いたいから、暇をねがって帰国してくれ。

という意味のことが書いてあった。

「父上が御重病……」

小三郎は色をうしなった。『和忠さまの小三旦那が通ったあとは虫も飛ばぬ』と云

われ、そのずばぬけた腕力と、はげしい癇癪とで熊野灘のあらくれどもを慄《ふる》えあがらせる彼が、いちど父親のことになると猫の仔《ねこ》のように従順だった。どんなに癇癪を起しているときでも、父親が『小三郎』と云いさえすれば、火の消えたようにおとなしくなるくらい、彼の父親思いは有名なものだったのである。

すぐに小三郎は暇をねがいでた。家光はつぎの出府をかたく約したうえ、ねがいを許した。

下城して紀州邸へ挨拶《あいさつ》をすますと、小三郎は夜道をかけて江戸を出立した。……いまの暦にしても三月はじめ、ことにそれは寒気のはげしい年だった。

——帰るまで御存命であろうか、もしやいま頃ご不幸なことになっていられるのではあるまいか。

あたまのなかはそのことだけでいっぱいだった。ひたむきに道をいそいで十三日の夕方、宮の宿へ着いた彼は、すぐに便舟を問いあわせると、偶《たま》たま和歌山までゆく五百石舟が解纜《かいらん》するところだという、そこで事情を話したうえ、太地へ寄るというのを慥《たしか》めてそれへ乗った。

太地へ着いたのは四日めの朝であった。小三郎は早くから支度をして船の舳《みよし》に立っていたが、勝浦の沖を過ぎると間もなく、なつかしい燈明崎《とうみょうざき》が見えたとたんに、

——ああ帰った。

という思いでぐっと涙がこみあげてきた。

二の二

ふたつの岬《みさき》に抱かれて深く湾入した太地の浦は、うすい朝霧のなかで、ひっそりと音を鎮《しず》めていた。あまりに静かだった。……船着場へ近づくとともに、浜にぎっしりと舟の繋いであるのが見えた。小三郎はその繋ぎ舟と、浜の異常なしずかさを見てぎょっとした。

——どうしたんだ。

その浜にあるもののほとんど九割は、和田屋の持ち舟である。そして、このようなすばらしい日和《ひより》には、みんなもう沖へ漁に出ていなければならぬはずだ。

——なにかあった。

この静けさと、おびただしい繋ぎ舟とは、なにかを語っている。小三郎はさっと顔色を変えた。

——お父さんがもしや？

錨《いかり》を下ろす間も待ちかね、小舟で岸へ着いた小三郎が、浜へとび移るのを待ちかねてでもいたかのように、むこうからひとりの娘があっと叫びながら走って来た。

「まあ、若旦那さま」

「……お美代《みよ》」

小三郎もおどろいてはせ寄りながら、

「お父さんは、お父さんはどうした」

「大旦那さまはご無事でございます」

「無事、……本当か、お父さんは本当に……」

「はい、この二三日はご病気のようすもたいそうよいとおっしゃってでございます」

小三郎は救われた。まったく甦《よみがえ》ったと云いたい気持だった。ほっと、大きく息をついた彼は、はじめて普通の声になり、

「それにしても、おまえが迎えに来ていたのはどうしたんだ。この船で来ることが分るはずはないだろうに」

「お迎えにまいったのではございません」

娘は片手にさげた魚籠《びく》をみせて、

「わたくし朝舟の魚を取りに来ましたの」

「佐吉《さきち》はどうしたんだ」

「沖へ出ました」

「佐吉が漁に出た……？」

「はい、太平《たへい》さんも竹次《たけじ》さんも沖へ出ております」

小三郎はふしぎそうに娘を見た。

お美代は小三郎の乳母の娘で、十一二の年から和田屋の家へ女中奉公に来ている。こんな漁村に育ったにしてはめずらしく、色白の愛くるしい顔だちで、気質のおとなしい、動作のしっとりと落ち着いた娘だった。小三郎より六つ年下で十八になるが、十六ぐらいにしかみえないうぶうぶしさをもっている。しかし今、そのうぶうぶしい顔のおもてに、かつてみたことのない暗いかげのさしているのを小三郎は見た。

「お美代、浜になにかあったのか」

「……はい」

「なにがあったんだ、うちの舟があんなに繋いだままになっているのはどうしたんだ」

そう云われてお美代は、却《かえ》ってもの問いたげに若主人の顔を見あげた。そしてなにか云おうとしたが、ふいとかすかに頭を振った。

「どうしたんだ、云えないのか」

「はい、……美代には申しあげられません」

娘はつぶやくように云いながら、つと前掛をとって面を蔽《おお》った。

道へ出ている漁夫の家族たちは、小三郎の姿をみるとみんな叮嚀《ていねい》に挨拶した。しかし、誰も声をかける者はなかった。どこか怯《お》ず怯《お》ずとしたようなまなざしである。なかには、こそこそと家の陰へ隠れてゆく者さえもあった。この浜の漁夫たちは、何代となく和田屋の家の子も同様に生活してきた。和田屋の舟で、和田屋の網で、親が、子が、孫が、熊野灘の荒波と闘って活《い》きてきた。小三郎は幼いときから、この浜の人々と、浜の騒音と、家々のありさまをよく知っている。

しかし……いまやそこには、彼の知らぬ空気がみなぎっていた。人々のようすもひどく違う。家々はひっそりと音をひそめている。彼の顔を見て逃げだす者さえある。わずかな留守のあいだに、浜はすっかり面貌《めんぼう》を変えたのだ。

和田屋の家は浜の南のはしに近い丘の中段にあった。二百年まえの建物だという母《おも》屋《や》を中心に、土蔵七棟《むね》、表店《おもてだな》、雑具店、それに召使たちの長屋などをいれて、低い築《つい》地塀《じべい》がとりまわしてあり、裏手には、昔の空壕《からぼり》や石塁の跡などが遺っている。また中庭には巨《おお》きな楠《くす》の古木が二本あって、沖から帰る舟のよい目印になっていた。

小三郎が石段を登りきったとき、表店の前に立っていた老手代の和助《わすけ》が、

「おお、小三郎さま、お帰りなさいまし」

とつまずくような足どりではせ寄った。

「ようまあ、お早くお帰りなされました。大旦那さまがお待ちかねでございますぞ。……それから清太郎さまのことは、なんとも、実に、……申しあげようもございません」

和助はそう云って低く頭を垂れた。小三郎にはなんの意味かわからなかった。

「兄さんがどうしたって……?」

和助は縋《すが》りつくような眼で小三郎を見あげた。皺《しわ》をたたんだその老手代の頬には、涙が条をなして流れていた。

三の一

座敷の中までさしこむ早春の陽ざしが、病床にいる父の、瘦《や》せて骨ばった横顔にさむざむと反映していた。

小三郎はその枕辺《まくらべ》に、両手でおのれの膝を摑《つか》んで坐っていた。兄は死んだのだ、鯨のてがたとりを仕損じて、その尾鰭に撃たれて死んだのだ。父が小三郎を呼び戻《もど》した本当の原因は、それであった。長男のむざんな死体をみたとき、父親は昏倒《こんとう》した、脳卒中であった。

「……この和田の家には昔から掟《おきて》がある」

父親はしずかに云った。

「網元という職は漁夫の親だ。親は子と苦楽をともにしなければならぬ。だから、和田屋の跡取りは漁夫たちに率先して海へ出ろ。……この掟はかたく守られてきた。わしも、わしの父も、その父も家を継ぐまでは海で働いた。だからわしも、清太郎やおまえにてがたとりをさせてきた」

「それはよく知っています、お父さん」

「だがもう沢山だ。わしは清太郎の死体を見たとき、自分の手で殺したも同様だという気がした。もう沢山だ、わしは舟も網も捨てる、小三郎、……そしておまえは和歌山へゆけ」

和歌山という言葉に小三郎はぎょっとした。忠兵衛は唇《くちびる》のあたりにかすかな笑をうかべ、わが子の顔をつくづくと見ながら云った。

「十日ほどまえに、お城からはるばるお使者がみえた」

「…………」

「将軍家のお声がかりで、武士として和田の家をお取立てになるとの仰せだ。わしは礼を云うぞ小三郎、おまえは祖先の名を興してくれた」

「なにをおっしゃるんですお父さん」

「いや礼を云わせてくれ、何百年というあいだ、漁村の隅《すみ》にうもれていた和田の家がおまえのお蔭《かげ》ではじめて世へ出ることができるのだ。死んだ清太郎もこれを聞いたらさぞよろこぶだろう」

忠兵衛の眼には涙があふれていた。その涙に濡《ぬ》れた眼で、撫《な》でるように小三郎の姿を見まもっていたが、やがてしずかに眼をそらしながら云った。

「清太郎が待っているだろう、墓へ行って香をあげてきてやれ」

「……はい」

小三郎は父親の掛け夜具の端をそっと押え、しずかに立って病間を出た。

次の部屋には和助がいた。そしてすぐに小三郎のあとについて表の間のほうへ来た。

家のなかはひっそりとしている。彼が十二月はじめに出府してゆく時には、この家のなかは、一日じゅう活々《いきいき》とした騒音に満ちていた。絶え間もない人の出入り、漁獲物を積み入れ積み出すはげしい掛け声。仕切場では甲高に数を読みあげていたし、広い台所からは、つねに大勢の膳拵《ぜんごしら》えをする音が聞えてきた。それがいまは森閑として物音もしない……太地の浜が面貌を変えたように、和忠の家もすっかりそのようすを変えてしまった。

「兄さんはどうして仕損ったんだ」

表の間へ来てから、小三郎は改めて和助に訊いた。

「兄さんが仕損うなんて、おれにはどうしても本当とは思えない」

「古座《こざ》の者と競《せ》り合《あ》いになったのです」

「古座の者と？」

「はい、それで清太郎さまは無理なことをなすったのです。『てがたとりに無理はいけない』とおっしゃっていたご自分が、古座の者と競り合いになったばかりに無理をなさいました。それでなければ決してあんな、……あんな仕損いをなさる清太郎さまではございません」

「そうか、古座のやつらが手をいれたのか」

太地から南へ約三里ばかりのところに、古座という漁港がある。『古座っぽう』といわれる気風の荒い土地だったが、ずいぶんまえから太地の漁業的優位地を、自分のほうへ奪い取ろうとしていた。それには、熊野灘の華ともいうべき鯨突きで勝つのが先決問題である。彼らはもちまえの向う見ずで挑戦してきた。しかし、太地には和田屋の伝統がある。『通ったあとは虫も飛ばぬ』といわれる小三郎のすばらしい腕力がある。どんなに彼らの挑戦が繰り返されようとも、太地の浜はびくともしなかった。

「大旦那さまは」

と和助は低い声で云った、「……清太郎さまが亡《な》くなるとすぐ、和田屋のてがたとりを捨てておしまいになりました。いまはもう、古座の者の暴れ放題でございます。それが鯨突きばかりならようございますが、やつらは漁場あらしまではじめました。和田屋の舟とみれば押しかけてきて、捕った魚を取りあげてしまいます」

「どうしてそんなことができるんだ」

「ここは古座の漁場だ、よその漁師の網をいれる場所ではない。そう申すのです。沖のみほも、岬三段（漁場の名）もみんな古座の者で占めています。もう太地の者には、めぼしい漁場はひとつも残ってはおりません」

「ばかな、そんな理窟《りくつ》があるか」

小三郎はむらむらと忿《いかり》を感じた。

「海は漁夫のものだ、海に仕切りはない。これまでだってそんな例はなかった。いったい誰がそんな無法なことを定《き》めたんだ」

「……この浜の者は」

和助はかまわず、つぶやくように云った。

「和田屋の舟に乗っているかぎり、もう漁はできなくなりました。生きてゆくためには、古座の船へ乗らなければなりません。みんなお店の船から下りてしまいました。残って和田屋の船を守っているのは、二十人に足らぬありさまでございます。……小三郎さま、こなたさまは、浜に繋いである船の数をごらんになりましたか」

三の二

なにもかも、いっしょくたになってのし掛ってきた感じである。兄の死や、重病の父や、古座の者の無法なふるまいや、そして太地の漁夫たちの運命など、みんなが一時に、渦を巻いて小三郎ひとりへ殺到してくるように思えた。どのひとつも彼と無関係なものはない。

そして彼には、またべつに新しい運命が目前にひらけかかっているのだ。武家として家を興し、祖先の名をあげるという大きな運命が……。

「兄さんのお墓へ行ってくる」

小三郎は思いだしたように立ちあがった。

「はい、ではお美代にご案内をさせましょう」

「案内なぞはいらない」

「でも、ご菩提所《ぼだいしょ》ではございませんから」

そう云って和助は立っていった。

ひと束の線香に火をつけ、小さな花束を持ったお美代とともに、やがて小三郎は家の裏手から出ていった。

丘の上へ出て、菩提寺とは反対のほうへ、七八丁も登ったところに、兄の墓はあった。野墓であった。まだ芽のかたい灌木《かんぼく》の茂みが、吹きあげてくる潮風に揺れていた。墓はその潮風にさらされて、淋《さび》しい孤独なすがたで建っていた。

「……熊野灘の見えるところへ埋めてくれ、そうおっしゃったものですから」

墓の前にこごんで、線香を立てながらお美代が云った。小三郎はながいこと、そこへぬかずいていた。それから立ちあがって海のほうを眺《なが》めた。……群青《ぐんじょう》を溶いて流したような熊野灘が、早春の午後の陽をあびて、涯《はて》しれぬかなたまでうちわたして見える。彼も兄も、その海で人となった。育ってきた年月のよろこびもかなしみも、みんなその海のうえにあるのだ。

「……このお墓は」

お美代がぼそぼそとしたこえで云った。

「わたくしがお守りをいたします。若旦那さまはどうかご心配なく、和歌山へおいでくださいまし。どんなことがあっても、このお墓だけは美代がきっとお守りいたします」

「……和歌山へゆくことを知っていたのか」

「はい、りっぱなご出世で、大旦那さまもおよろこびでございました。本当におめでとう存じます」

心から祝っている言葉だった。怨《うら》みがましい感じなどは塵《ちり》ほどもなかった。けれども、娘の言葉と、そのようすとは小三郎の胸をつよく刺した。

彼がお美代をおのれの妻にと思いはじめたのはそう古いことではない。お美代は貧しい漁夫の娘である。その母親は小三郎の乳母であった。そしてお美代は彼の家の女中なのだ。身分は不釣合《ふつりあい》であるけれども、跡取りの兄とちがって彼は二男だから、彼女を娶《めと》ることは、さして困難ではないと信じていた。そういう気持はお美代にも伝わらずにはいなかった。言葉にもださず、約束をしたこともないが、若いふたつの心は、どんなかすかなそぶりにも触れあうものをもっていた。

――だが和歌山へ出て武家をたてるとすれば。

そうすれば、事情はちがってくる。彼自身がどう決心しようとも、漁夫の衣をぬいで武士になる以上は、すべての事情がちがわずにはいない。そしてお美代はもう、その動かすべからざる事情の変化を知って、いさぎよく自分の夢をかき消そうとしているのだ。

「お美代……かえろう」

小三郎はそう云ってあるきだした。

彼はいま自分のゆく道を思った。数百年のあいだ世に隠れていた和田の家を、千石取りの武士として再興するのだ、父もそれを望んでいる。そして彼はまざまざと江戸城を思った。吹上の庭を思い美しい玉砂利を思いかえした。将軍家光の張りのある声音、往来する諸侯の威儀、それはすべて彼の決心を力づける回想だった。

「……小三郎さま」

おりてゆく坂の下から、そう叫びながら老手代がはせ登って来た。

「どうかすぐに岩の浜までいってくださいまし」

「どうしたんだ」

「佐吉どもが沖から戻って来ますと、きゅうに古座の者たちがとり巻いて、漁の獲物から網まで持ってゆこうとしているそうです。まちがいになるといけません、早く行ってやってくださいまし」

小三郎はしまいまで聞かずに坂を駈《か》け下りていた。

三の三

岩の浜というのは、太地の湾の、南隅にある一部をさして呼ぶ。ほかは砂浜であるが、そこだけ岩地になっていて、沖漁の舟をじかに着けることができるのだ。

小三郎が駈けつけたとき、岩地の岸で、和田屋の舟を中心に、この浜の者と、十五六人の古座の漁夫たちとが、まさに殴り合いをはじめようとしているところだった。

「待て、手だしをするな!!」

烈《はげ》しく叫びながら小三郎は駈け寄った。

その声は圧倒的だった。熊野灘の漁夫でその声を知らぬ者はない。その声を知ってその恐ろしさを知らぬ者もない。この浜の漁夫たちのあいだに「あ、小三旦那だ」「小三旦那が帰った」というよろこびのどよめきがあがるのと反対に、まさに殴りかかろうとしていた古座っぽうたちは、あっと云って横っとびに左へひらいた。小三郎は四五間てまえで立ちどまり、大きくみひらいた眼で古座っぽうの群をぐるっと見まわした。十五六人いる古座の漁夫たちのなかで、その半数は棒きれや櫂《かい》などの得物を手にしていた。

しかし、いま眼の前に立ちふさがっている相手に対して、そんな得物などがいかに無力であるかを彼らはよく知っている。それで小三郎にねめつけられたとき、彼らは持っていた棒や櫂をいそいで投げ捨てた。

小三郎はそれを待っていたように、立ちどまっていた場所から大股《おおまた》にあゆみ寄った。

「……どうしたんだ」

彼は両手の拳《こぶし》を腰につきたてて云った。

「おぬしたちは古座の者だろう」

「………」

「古座の者がなんのためにこの浜へ押しこんで来たんだ。なにか文句があるのか」

「こいつらは」

と浜の者の中から佐吉がなにか云いかけた。小三郎はそれを、

「おまえは黙っていろ」

とさえぎって、もういちどぐるっと古座の漁夫たちを見まわした。

「なにか文句があるんなら聞こう」

「………」

「文句はないのか」

「………」

みんなごくりと唾《つば》をのんだ。文句をつけに来たんだからないことはない。しかし、なにか云うとすれば、それは小三旦那のいないところに限るのである。彼らは石のように黙っていた。

「よし、文句はないとみえる」

小三郎はきめつけるように、

「ではこっちで云うことがあるからよく聞いておけ。おぬしたち古座の者は、このごろ漁場あらしのようなことをするそうだが、海は誰のものでもなく、漁場にも仕切りはないぞ。熊野の漁師は、熊野の海のどこで漁をしてもいい。これまでもそうだったし、これからもそうだ。おぬしたちにも古座っぽうの魂があるだろう。つまらぬ漁場あらしなどはよして、漁師は漁の腕でこい。小三郎がそう云ったと、古座へ帰ってそう云うんだ……わかったら帰れ！」

古座の漁夫たちはそう云われるのを待っていたように、ばらばらと先を争って逃げだした。それをみて浜の者たちがわっと嘲笑《ちょうしょう》をあびせようとするのを、

「笑うな！」

と小三郎が呶鳴《どな》りつけた、「……べつにおまえたちが勝ったわけじゃないぞ」

まさに小三旦那の本領である。浜の者たちはその呶声を聞いて、みんな甦ったよう

な顔つきになった。そして誰かが、

「まったくだ、おれたちが勝ったわけじゃない」

と云ったので、みんながいちどに、わはははと、こえ高く笑いだした。それからきゅうに気がついたというふうに、小三郎をとり巻いてわれがちに挨拶をはじめた。

「申しおくれました。お帰りなさいまし」

「小三旦那、お帰りなさいまし」

自分たちの英雄を迎えて、彼らはまさに生気をとり戻したのである。しかし、ひとわたり挨拶が済んだとき、そこに間の悪い沈黙がきた。彼らもまた、『小三旦那が武士になって和歌山へゆく』ということを聞いていたのである、……だから、この大きなよろこびが、ながく続くものでないことにすぐ気がついたのだ。

「みんな、舟を片づけよう」

むこうの端にいた佐吉がそう云った。彼らは肩をすぼめるようにして、舟のほうへと散って行った。

その夜、小三郎はおそくまで父に江戸の話をして聞かせた。家光との条《くだり》にはほとんど触れなかったけれども、吹上の庭や、お相手として城中に留められているあいだの見聞は、もっとも父をよろこばせたようであった。

「……まるで夢のようだ」

話を聞き終ってから、忠兵衛は憑《つか》れたような声でうっとりとつぶやいた。

「わが子が将軍家にじきじきの謁をたまわり、この家が千石の武家として再興する。……わしはもういつ死んでも心残りはない」

それからほっと溜息《ためいき》をついて云った。

「小三郎、早く和歌山へゆけ、便船のありしだいゆくんだ。殿さまがお待ちかねだからなあ……」

四の一

それから二日めの朝、父にせかれて、小三郎は便船を訊くために浜の志摩屋へでかけた。

志摩屋は鳥羽《とば》に本店のある大きな海産物商で、紀伊沿岸の廻船《かいせん》もあつかっている。店へいって問い合せると、和歌山への船は五日のちでないと寄港しないことがわかった。その店でも小三郎の出世を知っていて、主人《あるじ》や店の者たちから祝辞を述べられた。

志摩屋を出た彼は、家への道とは逆の方角にあたる北浦のほうへあるきだした。北浦は太地の湾をかこむ北の岬《みさき》の向うがわにあり、なだらかな丘つづきの道が、うねうねと迂曲して太地とのあいだをつないでいた。……すこしいそぐと、汗ばむほどの暖い日をあびながら、その道をゆっくりとあるいて来た小三郎は、北浦へかかる手前のところで、右へだらだら下りに岐《わか》れている細い小道へとまがった。

二丁ばかりおりたところに、花をつけた椿《つばき》の林があり、その林にかこまれた窪地《くぼち》に、ひと棟《むね》のみすぼらしいあばら家が建っている。家の前は畑地で、その段々畑のむこうは、一望の海原だった。……小三郎が道から窪地へおりて来たとき、そのあばら家の前の畑地で、ひとりの老婆《ろうば》が畑を打っていた。

小三郎は畑のそばへ近寄りながら、

「……おばば」

と呼びかけた。老婆はきこえなかったものか、衰えた手つきで鍬《くわ》をふり続けていた。

「おばば、小三郎だよ」

もういちど呼んだ。老婆はしずかにふりかえった。そして小三郎を見た。けれどもなんにも云わずに、ふたたび向うむきになって畑を打ちはじめた。……お美代の母、小三郎の乳母だったお秋《あき》である。小三郎を産むとすぐ死んだ母に代ってお秋は彼のために本当の母とも思える人であった。小三郎のどんな我儘《わがまま》にも味方になり、きびしかった父の躾《しつ》けぶりからいっても、身をもって庇《かば》ってくれた。彼が成長するとともに、

「小三旦那はわしが乳をあげたひとだ」と云ってなによりの自慢にしていた。

けれども、いま小三郎を見た眼つきはその人のものではなかった。ひどく冷たい、まるで見知らぬ人の眼であった。

——どうしたんだ。

自分の出世をいちばんよろこんでくれると信じてきた彼は、老婆の冷やかなまなざしと、よそよそしい態度を見て啞然《あぜん》とした。

——いったいなにを怒っているんだ。

そう思い惑いながら、もういちど呼びかけようとしたとき、老婆の腹立たしげな、そしてかなしげなつぶやきが聞えた。

「和田屋は太地の浜のくさわけじゃ。太地にはかぎらぬ、熊野灘きって漁師の総元締じゃった。この海の者はみんな代々和田屋を親とたのみ、和田屋のあるかぎり安心して活きてきた」

海から吹いて来る風が、老婆の灰色になった髪をはらはらと吹きはらった。小三郎は黙って聴いていた。

「清太郎さまの亡くなったのは、おいたわしいことじゃ」

老婆はしずかに、ぽつりぽつりと言葉を続けた。

「おいたわしいけれども、漁師が海で死ぬのはあたりまえのことじゃ。このばばの親たち、親の親たちもいくたりとなく海で死んだ、それでも海から逃げるような腰抜けはひとりもいなかった。親たちの墓は海にある、海ではたらく者の墓場は海にあるのじゃ。千石どりのおさむらいは偉いかもしれぬ」

老婆はさらにつづけて云った、「……けれども、親とたのむ大勢の漁師たちを捨て、育ってきた海を捨ててゆくような者が、なんで偉かろう。稼《かせ》ぐ漁師がひとり減って、千石の穀潰《ごくつぶ》しができあがるだけのことじゃ、……このばばがお乳をあげたお子は、そんな腰抜けではなかったはずじゃ」

小三郎の額がいつか蒼《あお》くなっていた。彼は老婆がそれ以上なにも云わないのを知ると、黙ったまま踵《きびす》をかえしてそこを去った。

いちばんよろこんでくれると思ってきた老婆から、まるで予想もしない言葉をあびせられて小三郎のあたまは混乱した。自分は決して海から逃げだすのではない、兄の死によって打撃をうけたのは父だ、自分は海を怖《おそ》れてはいない、自分は祖先の武名を再興するために和歌山へゆくのだ。父がもっともそれを望んでいるから武士になるのだ。その点だけは誰にでもはっきりと云える。けれども『稼ぐ漁師がひとり減って、千石の穀潰しができあがるだけのことだ』という一言は辛辣《しんらつ》だった。この一言が小三郎の気持を頂点から叩《たた》きつけた。そのひとことの持っている真実さを否定することはできない。

家へ帰りつくまで、小三郎の心は暴風のなかの葦《あし》のように動揺していた。しかし、帰ってみると、家にはまた思いがけない、すべてを決定することが待っていたのである。

「……小三郎さま、どこへいっていらしったのです、みんなでお捜し申しておりましたぞ」

帰って来た彼をみると、老手代の和助がとびだして来て云った。

「なにを慌てているんだ」

「大変でございます、田辺の殿さまが、ご自身でおいでなされました」

「なに、安藤《あんどう》の殿さまがみえた？」

「お船を浜へ着けて、ご家来衆があなたを迎えに来ておいでです。和歌山へおつれくださるそうですから、すぐお支度をなさいまし」

まるで坂を転げ落ちるような気持で、小三郎は支度をするために奥へはいった。

四の二

安藤帯刀直次《たてわきなおつぐ》の船は、燈明崎のうらに泊っていたが、小三郎が着くとすぐ錨を巻きあげて出港の用意をはじめた。

小三郎は船のおもての席で直次と会った。

帯刀直次は田辺の城主であり、紀伊徳川家の柱石と云われる老臣だった。年はそのときもう七十七で、髪も口髭《くちひげ》も白かったが、ふとい眉《まゆ》はつやつやと黒く、力のある双《そう》眸《ぼう》には、壮者を凌《しの》ぐ光がこもっていて、みるからに非凡の風格を示していた。

「おまえか、朝比奈義秀の子孫というのは」

はじめに直次が云った言葉はそれだった。そう云いながら、老人はそのおそろしい眼光ではたとねめつけた。小三郎はその眼をかっちりとうけとめながら答えた。

「仰せのとおり、名は小三郎と申します」

「ふん、……なかなかいい眼をしておる」

にやりともせずに云って、さらにぐっとねめつけながら、

「鎌倉の和田の血統といえば軽からぬ。ことには、将軍家おこえ懸りで、食禄《しょくろく》千石のおとりたてときまったそうじゃ。おまえもさぞうれしいであろう、どうだ」

「永い間、僻隅《へきぐう》の漁村に埋れていました和田の家名がようやく世に出ると思いますと、いかにも嬉《うれ》しゅうございます」

「ほう。……ほう。……」

直次はそらとぼけたように首をかしげて、

「家名が世に出るからうれしい。では、おまえ自分が千石の武士になれることはうれしくはないのか、え?……正直に云ってみろ、武士も千石になると槍《やり》を立ててあるけ る、なかなか悪くない気持だぞ」

「お言葉ですが、わたくしは祖先の名をあげるため、また父がそれを望みまするゆえ、和歌山へまかり出るのです。おのれの出世をよろこぶ気持などはいささかもございません」

「そうか、そうか」

直次はやはりそらとぼけた声で、

「それほどに申すなら、おのれのためではあるまい。だが、そうするとこの老人にわからぬことがひとつある」

「…………」

「千石で武家になると、どうして祖先の名をあげることになるのか、それがこのわしにはとんと解《げ》せぬ。はて……帯刀めもどうやら老耄《もうろく》したとみえるわい」

そう云った直次は、へひーへひと笑いながら、ふりかえって叫んだ。

「船を出せ」

主水《もんど》がはっと答えたときである、沖のほうからわあっという大勢の喚《わめ》きごえが聞え、幾十挺ものはげしい櫓音《ろおと》が波の上を伝わってきた。この船の上にいた人々はなにごとかと驚き、一斉《いっせい》に舷側《げんそく》のほうへ走《は》せ寄った。直次も立った。

――鯨を追い込んだ！　その櫓音ですぐにそう感じた小三郎は、直次のあとから立って舷側へ近づいた。

まさに鯨を追いこんだのである。それも燈明崎からほんのひと跨《また》ぎの近い海面だ。いま網をうちまわしたところとみえて、鯨はさかんに波間を暴れている。

――こいつは大物だぞ！

小三郎は思わずのびあがった。まったくそれは巨大なやつだった。おそらく頭から尾鰭まで二十間はあろう、跳躍するたびにはねあがる飛沫は、百尺も奔騰《ほんとう》するかとみえた。……その飛沫を浴び、砕ける波を縫って、いま銛舟が縦横に走っている。てがたとりの舟もみえる、だが……だが……そこには和田屋の舟は一艘《そう》もなかった。太地の浜の舟は一艘もいないのだ、小三郎はそのことに気づいた。

――太地のやつらなにをしているんだ。

思わず拳を握って浜のほうを見た。そしてそこに、空《むな》しく繋がれている舟の群をみつけた。彼は雷にでも撃たれたように、愕然《がくぜん》とそこへ立竦《たちすく》んだ。乗り手を失った舟、その主人を失った空の舟、幾十艘とも知れぬ乾上《ひあが》った舟の大群が、声なき叫びをあげてわっと彼のほうへ呼びかけるように思った。

――海で働く者の墓は海にある。

おばばのこえだった。

――海の見えるところへ埋めてくれ。

臨終に云ったという、兄のこえが、耳もとで喚かれるようにきこえた。

沸然として、小三郎の血がおどりだした。彼の五体にながれているてがたとりの血が、堰《せ》きに堰いていた堤の切れたように、ひとつの方向にむかってどっと雪崩《なだれ》をうった。……和田の家はこの海とともに活きてきた。父も、祖父も、そのかみの多くの祖父たちも、この熊野灘で育ち熊野灘で死んだ。この海が和田家の墳墓ではないか、この海とともに活き、この海とともに栄えてこそ、祖先の名をあげることではないのか。

――浜に繋がれているあの舟の群をみろ、古座っぽうの舟で占領されたあの沖を見ろ。

小三郎はうんとうめいた。そして大股に直次のそばへあゆみ寄ると、押えつけたような声でこう云った。

「おねがい申します、わたくしをこの船からおろしてくださいまし。それから和歌山のお城へはかように言上をおたのみ申します、『小三郎は熊野灘の漁夫でございます』と」

「父をどうする」直次が反問した、「父はおまえが武士になるのを望んでいるはずではないか」

「父もかつては熊野灘の漁夫でございました」

「よく云った！」直次はにっと頷《うなず》き笑って、

「わしがここへ来たのは、じつはその一言を云わせたいためだったのだ。天下治って武士の務めは楽になったが、漁夫には終るときのない戦場がある、涯知れぬこの大海だ」

手をあげて直次は海をさした、「……海へのこれ小三郎、そこにある宝は無限だぞ。海へ出て国の富を戦いとれ、それは千石武士を十人集めたよりもねうちの高い仕事だぞ」

小三郎の顔にも輝くような笑が刻まれた。彼は大きく拝揖《はいゆう》し、「おさらば」

とひと言いうと、活気の溢《あふ》れた足どりで踵をかえした。

浜にはまだみんないた。老手代の和助も、佐吉も竹次もいた。さいごまで和田屋の舟を守る漁夫たちもそろっていたし、涙に濡れたお美代の顔もあった。小三旦那を送ってきた彼らは、安藤家の船が出港するのを見送っていたのだ。そこへ小三郎が戻って来た。

——どうしたのだ。

啞然としている人々の前へ、舟をいそがせて来た小三郎は、ぱっと砂地へとびあがりながらいきなり喚きだした。

「佐吉、銛とてがたとりの支度をしろ」

「……えっ？」

「いそぐんだ！」と呶鳴りつけ、そこに集まっている漁夫たちのほうへ手をあげた。

「みんな見ろ、古座っぽうが鯨を追いこんでいる、やつらの手に負える獲物じゃあない、本当の鯨突きを見せてやるんだ、舟をだせ」

「小三旦那！」竹次が前へとびだした。

「和歌山へいらっしゃるんじゃあないんですか」

「おれか……？」

小三郎はくるくると着物をぬぎ、雪のようにまっ白な褌《ふんどし》一本のすっ裸になりながら云った。

「おれはこの浜の漁師だ！」

わあっ！という叫びが浜いっぱいにどよみあがる。竹次が拳をふりあげて、

「みんな小三旦那は和歌山へはいらっしゃらねえ、やっぱりこの浜の小三旦那だ、もう太地の浜にゆるぎはねえぞ、さあ舟をだせ」

「舟だ、舟だ！」

わあっと云って、みんな舫舟をおろしにばらばらと走ってゆく。その声と、その動作のあらわしている歓喜を、まさしく伝える方法はない。彼らは主人をとり戻したばかりでなく、自分たちの太陽をとり戻したのだ。古座っぽうが束になって押して来ても、もう太地は大磐石《だいばんじゃく》である。……佐吉が漁具小屋から駈け戻って来た。てがたとりの刀を持って来たのだ、野太刀のような五尺に近い長剣である。

「小三旦那、刀でございます」

さしだそうとしたとき、それまでものも云えずに立並んでいた和助が、お美代の肩を押しやって云った。

「お美代、刀をむすんであげろ」

「はい……」

お美代は佐吉から刀をうけとり、おどりあがるような身振で小三郎の後へまわって肩へ当てた。小三郎はお美代の手から紐《ひも》をとり、しっかりと背中へ括《くく》りつける。そこへ、

「舟の支度ができましたぞ――」と呼ぶ声がした。

七挺櫓の鯨舟、十五人の乗り手がみんな褌一本のすっ裸である。とび乗った小三郎はその舳先《へさき》に突っ立った。舟はざんぶと波を嚙《か》んだ。潮風に焦《こ》げた十六人の裸が躍る。

「……お美代、うれしかろう」

和助のこえは顫《ふる》えた。お美代は返辞をしなかった。からだの中の神経が眼に集っていたのだ。そしてその眼は、ま一文字に沖へ進む鯨舟を見ていた。鯨舟の舳先に仁王立ちになっている小三郎の姿を、喰いつくように見戍《みまも》っていたのである。

付記――この話から三十年ほど後に、古座浦へ紀州藩の捕鯨役所ができた。そして和田屋一族を中心にして、紀州独特の捕鯨業は、維新前まで連綿と伝統を守って栄えていた。

（「講談雑誌」昭和十七年二月号）

平八郎聞書

一

水野《みずの》監物忠善《けんもつただよし》が三河ノ国岡崎の領主であった頃、その家老に戸田新兵衛《とだしんべえ》という者がいた。

新兵衛は水野家に数代仕える足軽の子で、十五六歳の頃までは、いるかいないか分らない平凡な少年であったが、それから四五年経《た》つうちに、いつともなく、だんだんとその存在が人の眼につきはじめた。……べつにぬきんでた男振りでもなし、口数も寡《すくな》く、とくにこれという才能があるとも見えないのに、いつかしら、寄合いの席などでは彼の意見が欠くことのできぬものになってきたし、なにかむずかしいもめごとでも起ると、よほど年長の者までが新兵衛に調停をたのむというふうになった。

彼は二十二歳のとき足軽組頭《くみがしら》になり、それから三年してその総支配に抜かれた。——当時、岡崎藩の足軽総支配という役は番頭格で、二百石以上の武士がこれに当っていた。したがって、平足軽から出てその役に抜かれるということは、ほとんど不可能に近いことであって、まったく破格の出世だったのであるが、新兵衛の人柄《ひとがら》は少しも『破格』だという感じを与えなかった。

――なるほど戸田なら申分あるまい。

同輩の人々がそう思ったし、上司のあいだでも受けがよく、

――あの男ならなにかやりそうだ。

という評判が一致していた。

総支配には二年在職した。とりたてて記すべき功績もなかったが、彼が在職している期間には、常になにかともめごとのある上士と足軽とのあいだに、いちども諍《あらそ》いごとが起らずに済んだ。それについてとくに取締りをしたとか、心配したとかいう訳ではない、なにも仔細《しさい》はないのだが、とにかく彼の在職中は珍しく無事だった。

新兵衛は二十七歳の春、正式に士分に取立てられ、百五十石の書院番になった。そこでも彼は好評をもって迎えられた、そしてその年の夏、物頭《ものがしら》を勤める神尾《かみお》角左衛門《かくざえもん》から望まれてその娘の萩江《はぎえ》と婚約をむすんだ。

そこまではごく順調であった。数年のあいだに、平足軽から百五十石の書院番になり、物頭の娘と婚約ができたということは、すでに泰平となったその時代には異数の立身である、しかも秀抜な手柄があったわけではなく、いつとなく自然と伸びあがったのだから、その人柄がありふれたものでなかったことは確実であろう。……けれどそれから間もなく、その順調な運命を覆《くつがえ》して思いがけぬことが起った。

寛文五年九月はじめ、新兵衛は主君忠善の命で、彦根《ひこね》藩の井伊家へ使者に立った。……虎次郎《とらじろう》という家僕《かぼく》を供に、岡崎を出て、その日は鳴海《なるみ》で泊り、翌日岐阜、三日めの暮れがたに不破《ふわ》の関跡へかかった。

「これから先は山越しになりますが、どこへお宿を取りましょうか」

「ちょうど宿間になったな」

新兵衛ははじめからそのつもりだったとみえて、かまわず歩きながら云《い》った。

「しようがない、今夜は月がいいようだから山越しをしてしまおう」

「……大丈夫でございますか」

「御用を急ぐから」

伊吹《いぶき》を越える峠路にかかるとまったく日が暮れた。幸い月は中天にあったが、つづら折りの道だし樹立《こだち》に遮《さえぎ》られるので、足もとは決して安全とは云えなかった。

夜の九時頃であった。峠のもっとも迂廻路《うかいろ》へかかったとき左手の杉林の中からわらわらと五人ばかりの人々が出て来て、月光の明るい道に立ちふさがった。異様な風態をして、素槍《すやり》だの刀だの、みんなそれぞれ武器を手にしている。

「旦那《だんな》さま、賊です」

家僕が悲鳴のように叫びながら逃げだそうとした。けれども、そのときうしろへも同じほどの人数がとびだして来たので、彼は新兵衛の背後へ小さくなって身を隠した。

「なんだ、貴公たちはなんだ」

新兵衛は前後を見廻《みまわ》しながら云った。

「貴公の見るとおりだ」

一人の図抜けた巨漢が答えた。

「しかし山賊でも野盗でもないぞ、みんな志操高潔な武士だ、志操高きがゆえに主取りを好まず、俗塵《ぞくじん》を避けて山野に武を鍛錬しているのだ。ここはわれらの関所だ」

「ここを夜に入って通る者は」

と別の一人が大地に槍を突立てながら叫んだ。

「たとえ大名、将軍たりとも、われらに貢《みつぎ》しなければならぬ。拒むものは即座に斬《き》って捨てる掟《おきて》だ。話が分ったら、所持の金子《きんす》は云うまでもない、衣服大小をここへ脱いで行け」

「それともひと戦やるか」

喚《わめ》きたてながら、十余人の賊どもは、武器をひらめかせて前後から詰め寄った。

二

「しばらく、しばらく待ってくれ」

新兵衛は手をあげて制した。

「貴公らの申分はよく分ったが、拙者は主君の御用で彦根までまいる途中だ。ここで裸になっては御用を果すことができぬ」

「人にはそれぞれ用があるものだ。ここはそんな斟酌《しんしゃく》をする関ではないぞ」

「だから相談をしたい」

新兵衛はふところから金嚢《かねぶくろ》を取り出し、巨漢の手へ渡しながら云った。

「これに二十金ほど入っている。これを渡すから、衣服大小を見逃してもらいたい。もし見逃すことができないなら、せめて御用を果すまで拙者に貸しておいてくれ」

「貸しておく……それはどういうことだ」

「御用を果せばすぐこの道を帰って来る。そのときは衣服大小を渡すと約束しよう」

賊たちは無遠慮に笑いだした。

「ばかなことを云うやつだ」

槍を持った男が嘲笑《ちょうしょう》して叫んだ。

「そんな痴言《たわごと》をああそうかと云って、ここで貴様の戻《もど》って来るのを便々と待っていられるか、われわれはそんな甘口に乗るほど呆《ほう》けてはおらん」

「甘口かどうか知らぬ、しかし約束は約束だ」

新兵衛は力を籠《こ》めて云った。

「帰りにはかならず衣服大小を渡す、武士に二言はない」

「やかましい、文句を云わずに身ぐるみ脱いで行け」

「それとも斬って取ろうか」

またしても賊どもが武器を取り直したとき、頭目と思われる例の巨漢が、

「待て待て、みんなちょっと待て」

と制止しながら前へ出た。

「こんな話は初めてだが、武士に二言はないと云った言葉が面白い。ひとつそれに嘘《うそ》がないかどうか試してみよう」

「では帰るまで待ってくれるか」

「待とう。しかし念のため断っておくが、約束を破って妙な真似《まね》でもすると、この話を天下に触れて笑いものにするぞ」

新兵衛は静かに笑って頷《うなず》いた。

峠を越えて、人家の見える処《ところ》へ来るまで、家僕はものも云えなかった。新兵衛は黙って歩いていた。そして東から空が白みはじめ、道に人影が動きだすと、家僕はようやく元気を取り戻したように、山賊たちの愚かなことや、その賊どもをうまうまいっぱいくわせた主人の奇智《きち》を褒《ほ》めだした。

「やまだちどもが、あの山中で、今日か明日かと待っている姿を思うと、可笑《おか》しくて腹の皮がよじれます。あんな間の抜けたやつらがおりましょうか」

「そんなことをむやみに饒舌《しゃべ》ってはいけない。人に聞かれたら笑い草になる」

新兵衛はそうたしなめただけだった。

彦根へ着いて、用を果したのはその翌々日のことであった……彼は用事が済むとその足で帰途についた。むろん道を変えるか、そうでなければ役人に訴えて、警護の人数を同伴するものと思っていた家僕は、訴えた様子もなく、しかも同じ道を帰るのはどうする気かと、主人の心が分らないで大いに疑い惑った。……当の新兵衛はそんなことに頓着《とんじゃく》せず、ずんずん道を早めて、夜になるのを計ったように、元の峠へとさしかかった。

十時を過ぎた時分だった。雲に見え隠れする月光を踏んで一昨夜の場所までやって来ると、新兵衛は左手で大剣の鍔元《つばもと》を摑《つか》みながら、立停《たちどま》ってしばらくあたりを見廻し

たのち、

「おーい、おーい」

と声をはりあげて呼んだ。

「やまだちどのはおらぬか。一昨夜ここを通った者だ。やまだちどのはおらぬか」

「……旦那さま、そんな乱暴なことを」

家僕が、仰天して止めようとしたとき、右手の杉林の奥から「おう」と、答える声がして、松の火が、ちらちらと道のほうへ下りて来た。……例の巨漢を先に十人あまり、こんども用心ぶかく主従の前後を取り巻いた。

「よう、これはこれは先夜のごじん」

「約束を果しに来た。御用も終ったから、衣類大小を渡して行く、受け取ってくれ」

「なるほど二言のない仕方だ、もらおう」

巨漢はなかば呆《あき》れ、なかば感に入った様子で、しかし油断なく新兵衛の動作を見戍《みまも》った。こちらは無造作に大小を脱《と》って渡し、くるくると衣類もぬぎ捨てた。

「ひとつ頼みがある。供の者だけは勘弁してやってくれぬか」

「ならん。だいいち主人が裸になったのに、下郎が着物を着て歩くというのは義理に欠ける、一緒に裸になれ」

家僕も裸になった。二人とも、下帯ひとつのまったくの裸である。巨漢はそれを見ると、

「気の毒という気持は捨てたわれらだが、約束を守った褒美《ほうび》に肌着《はだぎ》だけ返そう。持って行け」

そう云って、肌着二枚投げてよこした。……主従がそれを着て、夜の道を立去って行くと、巨漢はしばらくそのうしろ姿を、見送っていたが、やがて溜息《ためいき》をつくように呟《つぶや》いた。

「世の中は広い。妙な人間がいるものだ」

三

他言はならぬと、固く口止めをしておいたが、いつか家僕がもらしたとみえて、その噂《うわさ》は間もなく、岡崎家中《かちゅう》に弘《ひろ》まった。そして、それまでの好評がいっぺんに逆転した。

――武士たるものが、なんということだ。

――ひと太刀も合わせず命乞《いのちご》いをしたそうではないか。

――やはり素性が素性だからな。

かっていちども人の口に出たことのない彼の素性が、そのときはじめて、前方へ押し出されてきた。

——足軽はやはり足軽だよ。

——かっこうだけは出世しても、魂までは武士になりきれなかった。

——いいみせしめだ。

新兵衛は黙っていた。弁明もしないし、べつに恥ずる様子もなかった。……するとある日、神尾角左衛門が訪ねて来た。

用件は噂のことだった。

「世評があまりやかましいので訊《き》きに来た。いったい、噂は事実なのか、おそらく嘘であろうと思うが」

「いやほとんど事実です」

新兵衛が、さすがに少し困惑したように答えるのを聞いて、角左衛門は額のあたりを赤くした。

「そうか。当人の口から事実だと云うなら間違いはあるまい、しかし、どうしてそんなばかな真似をした。所存のほどを訊こう」

「べつに仔細はありません。お上の御用を仰《おお》せ付かった体ゆえ争いを避けただけです」

新兵衛は静かに云った。

「御用を果すまでは、わたくしの体でわたくしの自由にはなりません。しかし争いを避けるには帰りに衣服大小を渡すと約束せざるを得なかったのです」

「それで約束を果したというのか、相手もあろうにやまだちどもに!」

「たとえ相手が山賊野盗でも、いったん約束したことは反古《ほご》にはできません。わたくしは武士の義理を守っただけです」

「臭い……」

角左衛門は眉《まゆ》をしかめて云った。

「いかにも武士臭い言葉だ。そういう臭みなことを口にするようでは、真の武道はとても分らぬだろう。改めて云うが、娘との婚約は一応ないものにしてもらうぞ」

「お望みなれば……致しかたがありません」

新兵衛は予期していたように静かに頭を下げて承知した。

世評はさらに悪くなった。人々には彼の態度が、いかにも武士を衒《てら》っているように見えてきた。『武士の義理を守った』という言葉は理にかなっているが、またあまりに理にかない過ぎていた。角左衛門が云ったように『臭み』がある。それが評判をますます悪くすることになった。

その年の霜月、高代権太夫《たかしろごんだゆう》と名乗る武芸者が来て、岡崎家中の士に試合を挑《いど》んだ。藩主忠善は自ら小野派一刀流の極意を極めたほどの人で、平常武道をもっとも重んじていたから快く城中に招いて試合を許した。ところが高代権太夫は意外に強く、三日にわたって八人と立合いことごとくこれを打負かしてしまった。試合が済んでから数日、彼は城下の宿に滞在してなにかを待っていた。恐らく召抱えの使者があるのを待っていたのであろう。しかし城からはなんの挨拶《あいさつ》もなかったので、彼は大手の高札場へ左のような意味の文字を書き遺したうえ、東国へ向って出立した。

当藩主、監物侯は、高名なる武人と聞き及んだが、士を鑑《み》るの眼なく、したがって家中に人物なし、嗤《わら》うべき哉《かな》。
申し遺すこと
寛文五年霜月　　　　高代権太夫

その貼紙《はりがみ》はすぐ藩主の手許《てもと》へ差出された。怒るだろうと思った忠善は、それを見ると案の定と云いたげな顔で、

「この程度の人間であろうと思っていた、詰らぬやつだ、捨てておけ」

そう云って紙片を裂き捨てたきりだった。

高代権太夫は、忠善がその貼紙を見ればきっと怒ると思った。怒って討手を向けると思っていた、そうしたら一人残らず斬って立退《たちの》こうと考えていたのである。しかし討手の来るようすがないので、少し拍子抜けのした気持で道を進めて行った。すると日暮れ少しまえ、御油《ごゆ》の宿へかかろうとするところで、

「もしもし高代どの」

と右手のほうで呼びかける者があった。立停って見ると、一人の若い武士が、並木の松の蔭《かげ》に馬を繋《つな》いで待っていた。

「なんだ、岡崎家の者か」

「そうです」

「討手だな」

権太夫はぐっと刀を摑んだ、相手は静かに道へ出て来た。戸田新兵衛であった。

「いや討手ではない」

新兵衛は微笑しながら云った。

「城中の試合に出られなかったので、後学のため一本お教えを受けに来た。お願いできようか」

四

「殊勝な心懸けだ、いかにも立合ってやろう」

権太夫は相手の心を見透したように、

「だが得物は真剣だがよいか」

「望むところだ。この松の向うに、ちょうどよい場所をみつけておいた。そこで願おう」

「どこであろうと拙者に文句はない」

新兵衛はくるっと踵《きびす》を返して、すたすたと並木の蔭へ入っていく。なるほど四五間さきに広い草原があった。……権太夫ははじめから討手だと信じていたし、かならず助勢の人数が来ているものと考えたので、新兵衛が草原へかかるあいだに距離を縮め、

「さあここだ」

と相手が振返る、真向へ、絶叫しながら強襲の不意打ちを入れた。

即妙必殺の一刀だった。けれど新兵衛もまた、はじめ彼に背を向けて歩きだしたときから、その一刀のくることは期していた。だから、絶叫とともに打ちこんだ権太夫の太刀は、紙一重の差で空を截《き》り、新兵衛は右へ跳躍しながら大剣を抜いていた。

権太夫はすぐ立直って中段に構えた。両者の間十五六尺、新兵衛は青眼にとって、呼吸をしずめながら相手の眼を見た。

そのまま両方とも動かなくなった。ずいぶん長いことそのままだった。むろん、そのあいだにも精神と精神とは火花を散らして闘っていた。どんなに微細な気息のやぶれも敗因となる。五感は絞れるだけ引き絞った弓弦《ゆみづる》のように緊張し、吐く息は熱火のようだった。

そういう状態がいつまでも続くものではない。ついに張切ったものの裂ける時がきた。どちらが仕掛けたのか分らない。まったく同音に、えいという叫びが起り、両方の体が相手のほうへと神速な跳躍をした。

二本の白刃がきらりと電光を飛ばした。そして新兵衛が二三間あまり走って向直ったとき、権太夫は、体をへし折られたようなかたちで、草の中に顚倒《てんとう》していた。

「あっぱれ、でかしたぞ」

不意にうしろで叫ぶ声がしたので、新兵衛は反射的に刀を構えて振返ったが、とたんに持った大剣を投げだして草の上に両手を下ろした。……近寄って来たのは、意外にも監物忠善その人であった。

「みごとな勝負だった。よくした」

忠善は並ならぬ機嫌《きげん》で云った。

「じつは余が討止めるつもりで、家中へは密々に追って来たのだが、ひと足の差でそのほうに取られた。それにしても、あの不意打ちをよく躱《かわ》したものだな」

「未熟な技で御目を汚し、まことに恐れ入りまする」

「だが新兵衛」

忠善はじっと新兵衛の面《おもて》をながめて、

「これほどの腕を持ち、しかも今日まだ誰にも知らせぬだけのゆかしい心得がありながら、角左にはなぜあのようなことを申した」

「……はっ」

「武士が武道を表看板にするのは、茶人がいかにも茶人めかすと同様に、はたの眼には笑止なものだそうではないか……角左に申した言葉は道理に違いない。だがそれを口にする武道臭さは抜けぬといかんぞ」

「まことに心至らぬ致しかたでございました。神尾どのに心底を問い詰められ、外聞にもれるとは存ぜず、浅慮の恥を曝《さら》して申訳がござりませぬ。……なれど」

新兵衛は静かに面をあげて、

「一言申し上げたいことがございます」

「聞こう、申してみい」

「世間の評にも聞き、唯今《ただいま》お上よりもお言葉でございましたが、わたくしは今後もできるだけ武士臭い武人になろうと心得ております」

「……どういう訳だ」

「味噌《みそ》の味噌臭きと、武士の武士臭きと、ふたつながら古くより人の嫌《きら》うものとされております。わたくしもそう存じておりました。臭みのない武士になろうと心懸けたこともございます。なれど……数年前ある書き物を手に入れまして、にわかに眼が明きました」

「その書き物とはなんだ」

「それにはかような一節がございました」

新兵衛は眼をなかば閉じて、力のある、低い声で誦《うた》うように云った。

「……昔よりの説に、武士の武士臭きと、味噌の味噌臭きといけぬものなりと、下劣の諺《ことわざ》にもいうなれど、まずは、脇《わき》よりみてのことにてやあらん。定めて公家《くげ》か町人の評判なるべし。武士はなるほど武士臭く、味噌はなるほど味噌臭くあれかしとぞ思う。武士はなに臭くてよからんや。公家臭からんか出家臭からんか、職人臭からんか、むしろ百姓臭くてよからんか。味噌もなまぐさくも、こえ臭くも、血臭くても、腐り臭くても何かよからん。ただ味噌臭きがよかるべし。右の武士は武士臭くてよからぬという説……」

「待て、新兵衛待て」忠善は急に遮って云った。

「その文章、なに人の書いた物だ」

「はっ、本多《ほんだ》平八郎《へいはちろう》どのの聞書にて、東照神君《とうしょうしんくん》のお言葉を、そのまま筆録されたものだとございます」

「そうか——神君のお言葉か」

忠善は非常な衝動を受けたもののように、ややしばらくじっと空をみつめていた。……その胸中にどんな想《おも》いが去来したことであろう。やがて深く嘆息をもらすと、

「よく聞かせてくれた。余も眼が明いたぞ」

としみ入るように云った。

「武士はなるほど武士臭く、百姓はなるほど百姓臭くあるべきだ。臭みを無くせば元も失う。臭みなど恐れては真の道に入ることはできぬ。……新兵衛、まだそのあとを覚えておるか」

「ただたどしゅうはございますが、覚えております」

「続けてくれ、聞こう」

忠善は草の上に正坐《せいざ》した。新兵衛は身を正し、低い力の籠《こも》った声で暗誦《あんしょう》を続けた。

「……右の武士は武士臭くてよからぬという説は、武士きらうのものがふと云い出したる言なるべし。さようの者はふんどしを除きてさようおくれたし。これ平生畳の上の習いにて肝心の大切の時は、そのようなる心にて強きことは中々ならぬものなり」

すでに日はとっぷりと暮れた。六尺ほど隔てて相対した主従の顔も夕闇《ゆうやみ》のなかで朧《おぼろ》にかすんできた。しかし、忠善は時の移ることも忘れて、一言も聴きのがすまじと聴いていたし、新兵衛の声もますます熱を帯びてゆくばかりだった。

「……天地を尽くしても、武士の有らんかぎりはこの道理すたることなし。常の心懸けということ、これを措《お》いて多からず。たとえて手近の証拠をあげていえば……」

平八郎聞書はなお続く、空には美しく星が輝きはじめていた。

（昭和十七年七月刊『島原伝来記』初収）

御定法

一

「……こんどは彦四郎《ひこしろう》ものがれぬところだろう」「そうありたいものだ、ずいぶん眼に余ることが多かったから」「せめては終りだけでもいさぎよくして貰《もら》いたいな……」高い声ではないがあたりが静かなので、そういう話しごえがふと耳についた。半之允《はんのじょう》が筆を止めてふり返ると、仕切り屛風《びょうぶ》の向うに下役の者たちが四人ばかり、茶を啜《すす》りながら雑談をしていた。評定役所の午後はひっそりとして、並んでいる役机にも殆《ほと》ど人はいず、半刻まえまでは往来する者の絶えなかった廊下に翅《はね》の衰えた虻《あぶ》が一疋《ぴき》とまって、やわらかい晩秋の日をあびたままじっと動かずにいるのが、いかにも静閑という感じを唆《そそ》るかに見える、「……それにしても福田屋はよく思い切って訴訟したものだ。借財もよほどの高なのだろうが」「なんでも三百金とかいうはなしだった。はなし半分としても少し無法だよ……」そこまで聞いて半之允はその中の一人を呼んだ、藤浦勝造《かつぞう》といういちばん年嵩《としかさ》の男である。――なんの話をしていたかと訊《き》くと、かれはちょっと困ったというように眼を伏せた、「……城下の福田屋利兵衛《りへえ》と申す商人が、刈田《かりた》彦四郎どのを町奉行へ訴え出ましたそうで、その話をしておりました」「不謹慎ですね」半之允は低いこえでしずかにそう云《い》った。「役所違いでもあり、たしかならぬ事を、茶話しのたねにするのは聞き苦しい、今後はかたく無用です」はっといって勝造は身を縮めるように元の席へ戻《もど》っていった。武者押しをしているのであろう、外《そと》曲輪《ぐるわ》のほうからえいえいという大勢の叫びごえが間遠に聞え、やがてそれを縫って下城の刻を知らせる太鼓が響きわたった。しかし深尾半之允は筆に朱墨を含ませながら、再たび調書を繰りはじめた。

屋敷へ帰った半之允が、例のように井戸端で水を浴びていると、家士の一人が庭のほうから松室勘右衛門《まつむろかんえもん》を案内して来た、「……待っているから構わずやって呉《く》れ」そう云って勘右衛門は脇《わき》にある椎《しい》の切株へ腰をかけた、「もうしまいだ、あがっていないか」「いや所望があるんだ、一本立ち合って貰おうと思ってね……」屈託ありげにそう云う勘右衛門の顔を見て、半之允はふと眼を外《そ》らすようにした。なにか思案に余ることがあるとか、またはひと決意しなければならぬような場合に、勘右衛門はよくやって来てひと試合いどむのが常だった。なにもかも忘れて試合に没入すること、半之允のぬきんでて凜冽《りんれつ》な呼吸にぶつかることに依《よ》って、事実しばしば困難を打開したことがあったのである。二人は同年の二十六歳で、家柄《いえがら》もほぼおなじくらいだし気質も似ていた。幼少の頃からきわめて親しい友人として成長してきたが、その年（承応三年）の春、半之允は大目附《おおめつけ》に、勘右衛門は町奉行にと揃《そろ》って重い役に就いてからは、それまでのようにしけじけ往来する暇もなくなり、ときたま役目のことで会うほかにはゆっくり話をする機会もなかったのである。「……では向うへゆこう」からだを拭《ふ》き終った半之允はそう云って井戸端を離れた。

百坪ほどある中庭のまん中にひと抱えばかりの槲木《かしわぎ》が立っている、雨雪にかかわらずそこで木剣を振るのが半之允の早暁《そうぎょう》の日課だった。時には槲木の幹をも叩《たた》くので、眼どおりのあたりはむざんに樹皮が剝《は》げている。半之允と勘右衛門とはそこで立合った。木剣をとって相対すると、めずらしく勘右衛門はするどい身構えをみせ、眉《まゆ》のあたりに脈搏《みゃくう》つような闘志を示した。しかしよく視《み》るとそれは虚勢にすぎなかった。神《しん》もへなへなだし呼吸も集中していない。ちょうど骨組の脆《もろ》くなった小屋のような感じで、少し荒く突けばがらがらと崩壊しそうにみえる、「……やめよう」半之允はやがて木剣をおろしながらそう云った、「そんなことで立合うとけがをする、止《よ》そう」「いやもういちど頼む」勘右衛門は鬢《びん》のあたりを赤くしながら云った、「もういちどでい い、どうか頼む」「………」半之允は友の眼をじっと瞠《みつ》めていたが、よしと頷《うな》ずくと、再び木剣をとり直した。こんどはかなりながいあいだがあった。勘右衛門はいつか額から双頬《そうきょう》へかけて膏汗《あぶらあせ》をながし、胸膈《きょうかく》をつきやぶりそうに気息が暴《あら》くなってきた。そして間もなく「えい」というするどい掛声といっしょに、半之允の木剣がゆらりと動いたとみると、勘右衛門は二間あまりうしろへとび退《しさ》って「まいった」と叫んだ。かれは苦しそうに肩で喘《あえ》ぎ、全身びっしょり汗になっていた。「水を浴びて来ないか」半之允はそう云って踵《きびす》を返した、「茶でも淹《い》れよう……」そして居間の方へ去った。勘右衛門が汗をぬぐって客間へあがると、妻女が茶をはこんで来て、……いま食事をしているから暫《しば》らく待って呉れるように、と断わった。勘右衛門は昏《く》れかかる庭を見やりながら、まだ屈託の解けぬ顔つきで、独り惘然《もうぜん》と茶を啜っていた。

二

食事をしまって半之允が出て来た。いつになくひまどって、もう座には燭《しょく》がはいっていた。勘右衛門は友が坐《すわ》るとすぐに、「じつは困ったことができた」ときりだした。半之允は庭のほうを見たまま黙っていた。それで勘右衛門は続けた、「……一昨日、福田屋利兵衛が刈田彦四郎を訴え出たのだ、金子《きんす》で百七十五両あまりと、買掛けの金が五十両ほどある。手代を同伴して証文類を揃えての訴えだ。いちおう内済の法を勧めてみたがきかない。御新政の趣意もありとにかく訴訟をとりあげて置いたのだが」「福田屋をどうした……」「そのまま町役に預けた」「それはよかった。それで、なにが困るんだ」そう云いながら半之允はやはり庭のほうを見ていた。「彦四郎はあのとおりの男で家中《かちゅう》の評判もよくない。しかしともかくも五百石の浜田藩士だ。これを白洲《しらす》で裁くということは松平家ぜんたいの面目に関すると思う。特にいま藩政革新のときではあるし、へたをすると将来の御威光にもかかわるから……」「しかし表沙汰《おもてざた》になった以上は仕方がないだろう」「そこなんだ、町奉行として訴訟をとりあげたからには裁きまでもってゆかなければならぬ。だが藩士としてはそうするに堪えない。ただひとつの方法は」「…………」「彦四郎に自決させることだ」「……ばかな」半之允は吐きだすような調子で云った、「さきごろお布令《ふれ》の御趣意には――たとえ武士たりとも無道の事があれば訴え出るべし、そう明記してあった。福田屋はその御趣意に依って訴え出たのだ。ましてそこもとが自分で云うとおり今は藩政革新の時ではないか。彦四郎に切腹させてきりぬけようというような、ごまかしの策は最も戒しめなければならぬ。おれは絶対に反対だ」「……では裁きにかけろというのか」「それが町奉行としての唯一《ゆいいつ》の責任だよ」勘右衛門は黙って眼をおとした。半之允はやはりじっと庭のほうを見まもっていた。

松平周防守康映《すおうのかみやすてる》が播州宍粟《ばんしゅうしそう》から石見《いわみ》のくに浜田へ封を移されたのは慶安二年のことであった。その頃、転封される諸侯のいちばん悩んだのは政治の問題である。どこの土地にもその地方特有の伝統があり風俗慣習がある。これを治める諸侯にもむろんその家風と政治の方向があるので、たいてい諸制の改廃を要するものが少なくない。無理押しつけは圧制になるし、手ぬるいと禍根を遺す。そこで周防守も徐々に領内の伝習を撓《たわ》めてゆき、五年めに当る承応三年はじめて新政確立にのりだしたのである。半之允が大目附にあげられ勘右衛門が町奉行を命ぜられたのは、新しい政治を実施するための抜擢《ばってき》で、周防守康映のひじょうな信任に依るものだった。……福田屋の訴訟はこういう情勢の中に起ったのである。新政の布令には、家中の士でも無道の者があれば訴えることができるという条文があった。そのうえ当の彦四郎は平常から放埒《ほうらつ》の行ないが多く、家中の評判もよくなかったので、福田屋は必ず勝訴してみせるという肚《はら》をあからさまに示していた。お布令の条文があり、曲事の事実がある以上、町奉行としては訴訟をとりあげざるを得なかったが、さて正式にとりあげるとなると、当時としては容易ならぬ問題がそこに生じてきた。刈田彦四郎は放埒人ではあるが五百石の歴とした武士である。かれを裁き、断罪することは浜田藩ぜんたいの武士の面目にかかわらざるを得ない。ましてそれが一商人の訴訟に因《よ》るとなると、今後に影響するところは決して軽くはないのだ。松室勘右衛門はこの点にゆき当って窮したのである。彦四郎に詰腹を切らせようというのは正に窮余の一策だった。半之允にもそれはよくわかっていた。相談をするまえに試合をいどんだのは、その策が単なるごまかしでないという確信を摑《つか》みたかったのに違いない、……だが半之允は一言のもとに反対した。裁きにかけろ、それが町奉行としての責任だと云いきった。勘右衛門は途方にくれ、つき放されたような気持で、やがて夜道を帰っていった。

それから数日のあいだ、松室勘右衛門が重臣の意見を訊きまわっているということを聞いたが、間もなく「御前評定があるから」ということで半之允にもお召しが来た。伺候《しこう》すると殆んど全重職が参集していた。勘右衛門が問題の始終を精《くわ》しく説明し、――新政確立に当面しての出来事だから、藩家将来のため慎重に評議する必要があり、御許可を得て評定をひらいた、という辞儀を述べた。そして周防守から「意見のある者は遠慮なく申し出るよう」という言葉があって、評定がはじまった。……けれども勘右衛門が事前に訊《たず》ねまわったとき、すでに重臣たちの意見はきまっていたようであった。国老の岡田武右衛門《ぶえもん》も都筑助太夫《つづきすけだゆう》も、松井内蔵助《くらのすけ》、石川作左衛門《さくざえもん》などという人々はじめ殆んど異口同音に「刈田に詰腹を切らせるのが穏当である」と云った。それで評定はきまるかとみえたとき、半之允ひとりがきっぱりと反対を表明した。

「……お上の御威光のためにも、また藩家百年のためにも、さような一時のがれの手段は相成るまいと存じます」

三

「それではどうしろと云うのか」岡田武右衛門がそう反問した、「……裁きにかけるのです」半之允は寧《むし》ろ平然と答えた、「すでにお布令の条文にあるのですからそのほかに手段はないと存じます」「だが……」と石川作左衛門が口を挿《はさ》んだ、「裁きにかけて御威光にも障りなく家中一統の面目にもかかわらぬ思案があるか」「いかにも、大目附へまわして下されば裁きを致す思案がございます……」声はしずかだが確信の色が面《おもて》にあらわれていた。重臣たちは眼を見交わし暫らく説をたたかわしていたが、やがて岡田武右衛門が周防守の前へすすんで意見を言上した。そこで改めて、刈田彦四郎の裁きを大目附へ移管するという上意がさがり、なおその席には重臣が列座するという条件が附《つ》けられて、御前評定は終った。半之允は勘右衛門といっしょに退出したが、役所へ続く渡り廊下にかかると、勘右衛門が心配そうに大丈夫かと念を押した、「なにしろ家中の面目ということが相当きびしい問題になっているから、仕損ずるとそこもとにとっても重大なことに成り兼ねないぞ、大丈夫なのか」「……おれの一身などはどう成ろうとたいしたことではない、問題は御新政のあり方を明確にすることができるか否《いな》かだ」半之允は低いこえでそう云った、「寛永、慶安、承応と年を重ね、公儀も四代将軍家となって泰平の基礎はゆるぎがないだろう。かつては戦場に臨み御馬前に討死することを至上の目的とした武士が、これからは御しゅくんと藩家を護《まも》り立て、領民の統治に当らなければならない。これは御馬前に討死するよりも困難な苦しい仕事だ、なぜなら戦場には終りがあるけれども泰平の御奉公には終りがないからだ。今こそ武士が武士であることの根本をあきらかにし、国法の厳粛さを示すときだ。それにはこんどほどよい折はないと信ずる。おれがすすんでその役をお受けした目標はそこにあるんだ、成るか敗れるかは……」云いかけたままあとを切って、半之允は自分の役所のほうへと廊下を曲っていった。

裁きは評定所でひらかれた。席には七名の重臣をはじめ、年寄役、町奉行、郡奉行らと、半之允の希望で馬廻《うままわ》り側近のうち二十名ほどの者が列座した。定刻になると福田屋利兵衛と手代藤吉が呼び出され、刈田彦四郎が附添の番頭《ばんがしら》に伴なわれて出た。福田屋主従は縁下の砂利の上に敷かれた席《むしろ》に坐り、刈田はむろん縁側の上である、……利兵衛は固ぶとりに肥えた赭《あか》ら顔の老人で、眼つき口許《くちもと》に粘りづよい不敵な意力がありありと窺《うかが》われ、誰の眼にもひとすじ縄《なわ》ではゆかぬということが察しられた。半之允はきわめてしずかな声で利兵衛に呼びかけ、訴訟の趣意を申し立てよと云った。利兵衛はすでに趣意は書類にして町奉行へ呈出してある旨《むね》を答えたが、半之允はもういちど口上で述べるようにと云った。老人は手代をかえりみてひと綴《つづ》りの書付を受け取り、それを繰りながらしっかりした歯切れのよい口調で、——何の年どの月に銀子なにがし、どの月に売掛け何々の代価いくばく、そういうように一々を明細に読みあげ、督促をしても払うようすがなく、ついには刀を抜いて乱暴をする始末なので、よんどころなく御政道に縋《すが》ったという委細を述べた。……このあいだ半之允は半眼にした眼を宙にあげ、利兵衛の言葉などはまるで耳にも入れぬようすだった。そして老人の陳述が終ってからも、暫くはそのままじっと動かずにいたが、やがておなじようにしずかなこえで、「……利兵衛、そのほうは当家中の諸屋敷へ出入りをしておるな」と訊ねた。「それならば侍の家政というものも存じておるであろう。おもて高が五百石として、実の御禄がおよそ三百石ということも知っている筈《はず》だ。三百石の実収を以《もっ》て五百石の体面を保ち、なお御奉公を欠かぬためにはいかなる家政をとらねばならぬか。算《そろ》盤《ばん》に精しいそのほうには考えずともわかるであろう」「はっ……」「そのほうは商人だ。商人は利に依って生計を立てる者の筈だ。金を用達《ようだ》てるにせよ物を売るにせよ、利が附いて戻るとみればこそ用達てもし売りもする、さもなくて金を用達て物を掛けで売る筈はない、……そのほうなにを目安に二百余両という大金を刈田へ用達てたか、ほかの理由はいらぬ、これとみこんだその目安を申してみい」「………」思いがけぬところへ槍《やり》をつけられた感じで、利兵衛は咄嗟《とっさ》の返答に迷った。半之允はしずかに「……申せぬか、刈田には二百余両という借財を返済するちからはない。それはそのほうが誰よりもよく知っている筈だ。それを知りながらさような大金を用達てるとは審《いぶ》かしいぞ」「まことにご尤《もっと》もの仰《おお》せでございます……」利兵衛は逞《たく》ましい額をあげ、不屈の性根を眉宇《びう》に示しながら答えた、「商人という者へのご理解も憚《はば》かりながら御達眼と存じまするが、しかし利に執着するは商人の一面でございまして、それだけで商法が成り立つわけではございません。場合に依っては資力なき方へも無保証で銀子を用達て、品物の掛け売りも致します、つづめて申せば信用ということでございます」

四

「それではそのほう刈田を信用してそれだけの大金を貸したと申すか」「はじめはいかにもさようでございました。なにしろ刈田さまは歴とした五百石のお武家でございますから」「それならどうして訴訟を起したのだ。刈田を信用して用達てたものなら、今日に及んで訴え出るというのは前言に悖《もと》りはせぬか」「お言葉ではございますが信用にも限度がございます。こちらが信用いたしましても相手に徳義の心がなければ御訴訟いたすよりほかに道はございません」「それでは信用というものも結局は利から出るのではないか。やがてはかくかくの利が附いて返る。そういう目安のもとに信用し、万一それに違《たが》えば訴訟しても取り戻す、……どこまでも利に執着しているのではないか、さればこそ訊ねるのだ。そのほう刈田のいかなるところを目安に大金を貸したのか、申してみい」「それは唯今《ただいま》も申上げましたとおり刈田さまは五百石の……」「だまれ、五百石の武士の家政がいかなるものか知らぬそのほうではあるまい。それを承知しながらさような大金を用達てるわけはないぞ、福田屋利兵衛、……そのほうの訴えは事実無根だ、拵《こしら》え訴訟だ、おのれふとどき者め」さいごの一言は評定所の四壁へびくと響くほどの大喝《たいかつ》だった。——事実無根、——拵え訴訟、この二つの言葉は利兵衛よりも寧《むし》ろ列座の重臣たちをおどろかした。人々はにわかに身をひきしめ、いっせいに耳と眼を半之允へ集注した。

「これはお役人さまの仰せとも覚えません」利兵衛は顔をひきつらせて云った、「……事実無根とはなにゆえのお言葉でございましょうか、わたくしの手には一々証文と申すものが取ってございます。写しは町奉行お役所へ差上げましたが、ここにはその証文を所持しております。なにとぞごらん下されますよう」そして手代からひと包の書類を呈出した。下役の者がそれを取次ぐと、半之允は包をひらき、手荒く証文を検《あらた》めたのち、ひと纏《まと》めにしてそこへ投げだしながら云った、「かような書付は人間が筆を以て書き、作り判を捺《お》してもできるものだ。かかる物を幾千枚もちだしたところで事実だという証《あか》しにはならん」「それではお伺い申上げまする」利兵衛はさっと蒼《あお》くなりながら云った、「……お役人さまにはいかなる理由にて、わたくしの御訴訟を事実無根だと仰せられまするか。なにを以て拵え訴訟と仰せられまするかお伺い申しましょう」「聞かせて遣わそう……」そう頷いた半之允は、はじめて刈田彦四郎のほうへ眼をやり、——失礼ながら差料を拝見する、と鄭重《ていちょう》に断わった。大剣はもちろん控え部屋に置いてある、すぐに下役の者がいって彦四郎の刀を持って来た。半之允は重臣の席へ目礼して坐り直し、かたちを改めてしずかに刀を抜いた。そして作法正しく表裏をうち返し眺《なが》め終ると、彦四郎に向って、「……御伝来の包永《かねなが》でござるな、みごとにお伝えなさる」そう云って会釈《えしやく》し、利兵衛のほうへ向き直って、——この刀をそこからよく拝め、そう云いながら片手で高く前へ捧《ささ》げた。

利兵衛ばかりではない、列座の人々も眼をみはって高く捧げられた刀を注視し、半之允の次ぎの言葉を待った。「……一点の曇りもない、明皎々《こうこう》たるこの刀をよく拝め」そう云ってかれは大剣を握ったまま拳《こぶし》をしずかに膝《ひざ》へおろし、一句ずつ意味を強めるように言葉を継いだ、「利を以て第一とするそのほうなどにはわからぬかも知れぬが、およそ武家に男子と生れた者は、幼少から臨終までおのれというものをもたない。御しゅくんのため藩のために、いつなんどきでも一身を捧げ、一命を抛《なげ》うつ覚悟ひとつで生きる。御奉公から始まって御奉公に終るのが武士の一生だ。おのれの手柄《てがら》は御しゅくんの御威光となり、おのれの恥は御しゅくんの恥となる。さればこそ常住座臥《ざが》その身を慎しみ、独り居ても容態を崩さない、……寝る間も刀を離さぬのは、君国を守護すると共に、万一おのれにゆるし難《がた》い過失のあるときは、即座に自決する覚悟の証しだ。それほどきびしく、清廉《せいれん》潔白に身を持する武士が、商人から金を借りて返さず、買った物の代価を払わぬなどという無道をすると思うか」扇子ではたと畳を突きたて、真向から打を入れるような調子でそう叫んだとき、縁側に端座していた刈田彦四郎はうちのめされたようにその頭を垂れた。「……武士はおよそ七歳にして切腹の法をまなぶ。一生の第一が死ぬ稽古《けいこ》から始まるのだ。私心を捨て我慾《がよく》を去るところから生涯《しょうがい》がはじまるのだ。それから生を終るまでは片時も死を忘れることがない。そういう生き方をする武士にそのほうの申立てるような曲事を犯すことができると思うか、……断じて有り得ない、そのほうの訴えは事実無根だ。武士を誣《し》うるふとどき至極なやつ、縛り首にも処すべきであるが、お上のお慈悲に依って永牢《えいろう》を申付ける、立て」はげしい叱咤《しった》と共に、利兵衛と手代とはうむを云わさず曳《ひ》き出されていった。

五

半之允はしばらく呼吸を鎮《しず》めていたが、再び刀をとり直し、つくづくと眺めやりながら云った、「……刈田家の包永、いつかは拝見したいと存じていたが、かかる席で計らずその折にめぐまれ、お蔭《かげ》で久々の望みを達しました、かたじけのうござった」そしてぬぐいをかけて鞘《さや》へおさめ、一礼して下役へ渡すと、重臣の席へ向って裁きの終った旨を告げた。

それから二日めの夜のことだった。半之允が夕食をしまってほどなく、刈田彦四郎が訪ねて来た。日昏《ひぐ》れ方から小雨が降りだして、夜に入ると共にひどく気温が冷え、窓際に植えてある竹のさやさやと鳴る葉ずれの音も、すでに冬の近いことを思わせる寒ざむとした響きをもっていた。……彦四郎は傷悴《しょうすい》した顔を伏せ、ながいこと黙って自分の膝をみまもっていたが、やがてかたちを正して半之允を見あげた、「……先日、そこもとの云われた言葉の端はし、拙者は実に骨を砕かれる思いで聞きました」

「…………」「それで、御意見をうかがいにまいったのだが」そう云いかけて、かれはじっと半之允の眼に見入った。窶《やつ》れた頬肉が見えるほどひきつり、ひき結んだ唇《くちびる》には必至の念が刻みつけられている、「……出直すことができるなら、拙者はもういちど生れ更《かわ》って出直してみたい。犯した汚辱をつぐないたいと思うのだが……御意見はどうでしょうか」それは魂の底をついて出る言葉だった。血ばしった双眸《そうぼう》でけんめいに半之允の表情をみつめながら、かれの拳はわなわなと震えていた。

半之允は黙っていた。まるで戸外の雨の音に聞きいってでもいるように、淡々たる姿勢で窓のほうを見ていた。それからずいぶん経《た》って、しずかな低いこえで云った、「……拙者は幼少の頃、祖父からこういうことを聞いた、さむらいも人間である以上、いかに身を慎しんでも生涯に過失なしということは望みがたい、けれども二つだけは赦《ゆる》すことのできぬものがある。一つは盗みをすること、一つは……死にどきを見誤ることだ、この二つは武士としてゆるすことのできぬものだと」彦四郎は眼を閉じ頭を垂れて、暫らくじっと息をひそめていたが、やがて、「よくわかりました」と呟《つぶ》やくように云い、いとまを告げて立とうとした。すると半之允は「暫らく……」と云って次ぎの間へ去り、小さな紙包を持って戻って来た、「お帰りにこれを福田屋の店へ置いてゆかれるよう……」「えっ」「証文にあるだけ入っています、そこもとの手から店の者に渡して置かれるがよい」「しかし、しかしそれは……」拒もうとするのを押えて半之允が云った、「なにも仰しゃるな、借は借です」彦四郎はうたれたように面を伏せたがやがて金包をおし戴《いただ》き、いとまをつげて去っていった。

明る朝はやく、半之允が出仕の身支度をしていると松室勘右衛門が来た。かれは座につくのを待ちかねたように云った、「いま刈田から使があったのでいって来た、彦四郎は切腹していたよ」「見苦しくはなかったか」「そこもとは」と勘右衛門は眼をみはった。「そこもとは知っていたのか」「知りはしない、けれどもそうなくてはならぬとは思っていた。切腹のようすにみれんはなかったか」「みごとに切っていた。しかし……」膝をのり出すようにして勘右衛門が云った、「かれが切腹するとわかっているなら、はじめに詰腹を切らせるというのをなぜ反対したのか」「……国法をあきらかにするためだ」半之允はきびしい調子でそう答えた、「法というものは或《あ》る個人の利益を護るためにあるのではない、一国の秩序を正すのが最大の目的だ。武士は清廉潔白であるということ、然《しか》らざる者は武士として生き得ざることを示す。これが武家定法の定法たるところだ。泰平の世にはまずこのことを明確にするのが政治の根本なのだ」「……考えてみろ、福田屋があれだけの大金をなぜ貸したか。あれは刈田彦四郎に貸したのではないぞ。五百石という身分、浜田松平家五万石というものを目安に貸したのだ。武士には面目がある、いざとなれば訴訟をしてもとり返せる、そこを目安にしたからこそあれだけの金を用達てたのだ。……これからもこういう事は絶えないであろう。おれはそれに一石を投じたかった。降る雪は清浄であるが、地に積ればやがて泥土《でいど》に汚れるものもある。だからといって雪が汚《けが》らわしいとは思うまい。……武士は清浄潔白なのだ、雪のように清浄潔白なものだ。然らざる者は武士として生きる事ができないのだ。おれはその事実を国法の上に示したかったのだよ」勘右衛門は低く呻《うめ》いた。なんとも云えぬ感動に胸をしめつけられたようである。半之允はあとから付け加えるように云った、「……利兵衛主従も三十日ほどしたら赦免して遣わそうと思う。あの老人も少しは懲《こ》りたであろうから」

（「新武道」昭和十九年十月号）

勘弁記

一

「どこまでつれてゆくんだ」「なにもうそこだよ」「おなじことばかり云《い》っているが、もうやがて仕置場ではないか」「仕置場が恐ろしいわけでもないだろう」印東弥五兵衛《いんどうやごへえ》はにたりと笑い、まるい肥えた肩をすくめながら空を仰いだ。「それより見ろ、いい月だぞ」

周藤《すどう》新六郎はにがにがしげに唇《くちびる》を歪《ゆが》めた、つまらぬ事を面白《おもしろ》そうに持ってまわるのが弥五兵衛の癖である。着物の衿《えり》が曲っているのを注意するのにも、いろいろ遠まわしに仄《ほの》めかしたあげく「いって鏡をみろ」というような風だった。新六郎のほうは単純で直截《ちょくせつ》で、いつもけじめのはっきりしたことを好んでいた。衿が曲っていれば「衿が曲っているぞ」と云うだけである。弥五兵衛にしたがえばしかしそれはきょくが無さすぎるという、それでは却《かえ》って相手に恥をかかせる場合もある、やはり自分のようにするのが「人情の機微」に触れているというのだった。……まいつき十五日に、馬廻《うままわ》り番の若ざむらいたち十人ばかりで、まわりもちで武道の話をする集りがあった、その夜も楯岡《たておか》市之進の家で十時ころまで話した帰りに、面白いものをみせるからぜひとさそいだした。興もなかったがあまり熱心にすすめるので、云うなりについて来ると、城下を出はずれ、旭川《あさひかわ》の堤にのぼってずんずん川上のほうへゆく、もうすぐだと云うばかりでなにも説明しない、そのようすがいつもの思わせぶりにみえるので、新六郎はしだいにばかばかしくなりだした。……秋十月のしずかな夜で、ちょうど頭上へ昇った月が川波にきらきらと光を投げていた、そのあたりは両岸とも荒地や叢林《そうりん》がつづいていた、ひっそりと眠ったように黝《くろ》ずんだ森がみえ、早くも裸になった梢《こずえ》の枝を寒々と月に照らされている楢《なら》の林がみえた。深い薮《やぶ》の奥のほうでなにかに驚いた寝鳥がけたたましく叫び、ばさばさと羽ばたきをしてすぐにまた鎮《しず》まった。

「おい此処《ここ》だ、しずかにして呉《く》れ」弥五兵衛がそう云って足をとめた。堤の右は川、左がわに枯れた草原があり、そのさきに赭土《あかつち》のかなり高い崖《がけ》がのびている。「そう見まわしたって此処に何もあるわけじゃない、みせるというのは是《これ》だよ」弥五兵衛はそっと自分のさしている大剣の柄《つか》へ手をやった。「是は貴公も知っているとおり夏のはじめに求めた粟田口《あわたぐち》の新刀だ、みんなの鑑定ですがたはよいが斬《き》れ味はわるかろうと云われたあれだ」「印東、――ためし斬りか」「そう云うだろうと思ったから黙ってつれて来たんだ、しかし相手は乞食《こじき》だ、いやまあ聞けよ、半月ばかりまえからおれは食事をはこんでやっている、乞食非人とおちぶれては生きていても世のためにはならぬ、云ってみれば穀潰《ごくつぶ》しだ、それを半月おれは養ってやった、つまり今夜あるがためさ、見ていて呉れ」「待て印東、それは乱暴だ、印東」

呼びとめたけれど、弥五兵衛はもう大股《おおまた》に草原をあるいていった。月をいっぱいに浴びた赭土の崖の一部に、入口を枯草でかこまれた洞穴《ほらあな》がみえている。弥五兵衛はその洞穴へ近よっていって声をかけた。「これ奥州《おうしゅう》とやら、もう寝たのか」洞のなかでなにか答える声がした。「出てまいれ、月見もどりだ、酒肴《しゅこう》の残りを持って来てやったぞ」

もういちど答える声がした、そして穴の中から乞食が出て来た。新六郎は堤からおりて草原の中に立っていた、弥五兵衛は紙に包んだものを乞食に与え、ちらとこっちへふりかえった。そして乞食が貰《もら》ったものを押戴《おしいただ》いたとき、かれはちょっと身をひくような恰好《かっこう》をした。えいという叫びが聞え、白刃がきらっと月光を截《き》った、なかなか的確な一刀だった、乞食のからだは薙《な》ぎ倒された草のように右へよろめいた、しかしそれは斬られたのではなかった、右へよろめいたと見た次の刹那《せつな》に、乞食はすっと立ち直っていたし、どうしたものか、氷のようにするどく光る大剣を抜いて、青眼に構えていた。新六郎はあっと思った、弥五兵衛のおどろきはそれ以上だったに違いない。かれは逆上したようすで、絶叫しながらむにむさんに斬りこんだ、まるで桁違《けたちが》いの腕である。——これはあべこべに斬られる。そう思ったので、新六郎は大きく声をかけながら二人の間へ割ってはいった。「お待ち下さい、危い、印東かたなをひけ」

二

年は二十七か八であろう、鬢髪《びんぱつ》ものび、ながい労苦で肉もおちているが、眼つき唇《くち》もとに凛《りん》とした気質がみえるし、月光にうつしだされた肩のあたりも、つづれこそまとっているがどこか昂然《こうぜん》たるものを持っていた。「わたくしは松野金五郎、父は金《きん》右衛門《えもん》と申しました」かれはさっきの無反《むぞり》の直刀を仕込んだ竹杖《たけづえ》をかかえ、洞穴の下の枯草のなかに腰をおろして、月を見あげるようにしながら語りだした。新六郎はかれと向きあって坐《すわ》り、弥五兵衛はそのうしろへさがったところにいた、そしてまだときどき苦しそうに深い息をついては生つばをのんだ。「父は大和のくに高取《たかとり》藩士で、七百石の徒士組《かちぐみ》ばんがしらを勤めておりましたが、いまから六年まえ、ある事情から組下の者のために闇《やみ》討ちを仕掛けられ、抜き合せは致しましたものの、ついに斬り伏せられてしまいました、以来わたくしはそのかたきを求めて諸国をめぐってあるき、ごらんのとおり」かれは袖《そで》をかえして苦笑した。「乞食《こつじき》非人の境涯《きょうがい》にまでおちぶれました。しかしその甲斐《かい》あって、ようやく当のかたきのいどころをつきとめることができたのです。かたきは御当藩にいたのです」

「かたきが岡山藩に」弥五兵衛が身をのりだした、「してその、その者の姓名はなんと云います」

「いや待て、それを伺うまえに」新六郎はさえぎって訊《き》いた。「おたずね申すが、御尊父がお討たれなすった事情というのはどのようなものですか」「それは申上げられません」ふと眼をそらす表情を、新六郎はじっと見まもりながら、「しかし伺わなければならぬ」とたたみかけて訊いた、「こうして無理にお身の上をうちあけて頂くからは、われわれとしても武道のてまえ聞き捨てにはならぬ、しかし御尊父のお討たれなすった事情によっては、はなはだ申しにくいがお力添えはなりかねます、だからぜひその事情は聞かして頂かなくてはならぬと思います」

「――申しにくい事なのです」金五郎は口ごもりながら、いかにも云いにくそうに答えた。「しかし、さよう、やはり申上げるのが本当でしょう。実は、――その者はわたくしの妹に恋慕して、再三ならず文をつけ、また酒のうえでしょうが路上で無礼なふるまいを致しました、それで父が面罵《めんば》したのです、言葉はどうあったか知りません。しかし父は少くとも他人に聞かれる場所を避けるだけの思遣《おもいや》りは忘れませんでした。それが原因でした、――申上げたくなかったのは、そういうかんばしからぬ事情だったからです」「それで充分です」新六郎はうなずいて云った。「その者の姓名をお聞かせ下さい」「旧主家にいるときは飯沼外記之介《いいぬまげきのすけ》といいました、御当藩では楯岡市之進と申しております」「――楯岡市之進」弥五兵衛がおどろきの声をあげた、新六郎はそれを抑えつけた。「相違ありませんか」「当人をしかと見届けています、たしかに間違いはありません」新六郎はちょっと考えるようすだったが、すぐに向き直ってはっきりと云った。「よくわかりました、及ばずながら御本望を達するようお力添えを致しましょう。しかしなお数日お待ち下さい、晴れて勝負のできるようにはからいたいと思いますから」

「お話し申したうえは万事おさしずどおりに致します、よろしくおたのみ申します」

「では今宵《こよい》はこれで」そう云って新六郎は弥五兵衛をうながして立った、「いずれ明日にもまたお眼にかかりにまいります」

松野金五郎は堤の上まで送って来た、月はいよいよ冴《さ》え、霜でもおりるのか、空気はひどく冷えてきた。新六郎は黙って、大股にずんずんあるいてゆく、弥五兵衛はその肩をみながらうしろからとぼとぼついていったが、やがていかにも困惑したような調子で云った。「とんだ事になった。ばかな真似《まね》をしたものだから、……済まぬ」けれど新六郎には聞えなかったものか、なにも云わずにあるいていた。……かれは楯岡市之進のことを考えていたのである。此処へ来るまえ、今宵は市之進の家で例月の集りがあったばかりである。その顔も話す声つきもまざまざと印象に新しい、いやそればかりではない、市之進はかれにとって妹婿《いもうとむこ》だった、おのれの妹さだが市之進に嫁《か》してもう半年になる。――そういう男とは思えなかった。新六郎はいくたびもおなじことを呟《つぶや》きつづけた。

三

楯岡市之進は三年前藩主池田光政《みつまさ》にみいだされて岡山藩へ仕官した。じきじきのお取立てではあるし、槍術《そうじゅつ》にすぐれた腕をもっていたし、そして性格のまるい、謙譲な人づきあいのよい質《たち》だったから、上のおぼしめしも家中《かちゅう》の評判もよかった。新六郎の家へは弥五兵衛がはじめにつれて来た、そして毎月の集りに加わるようになってから、人を介して妹のさだに結婚を求めてきたのである。はじめは一応ことわった、家柄《いえがら》も血統もよくわからぬ他国から来た者に、妹をやる気にはなれなかったのである、けれど老職の池田玄蕃《げんば》があいだに立ったのでついに婚約を承知し、それから半年ほどしてこの四月に祝言《しゅうげん》をしたのであった。――そうだ、そうかもしれない。新六郎は家にかえり、寝所にはいってからも考えつづけていた。そういう過去の失敗があったからこそ、楯岡市之進の性格は今日のようにまるくなり、謙譲になったのかもしれない。あれだけ槍術にすぐれていながら、少しもそれを表面にあらわさず、出頭の身でいてつねにへりくだった態度を忘れない、そういう挙措の裏には高取藩での大きな過誤があり、それを胆《きも》に銘じて立ち直ろうとする努力が今日のかれをなしているのだ。——だから、もし現在のすがたが偽りのものでないとすれば、むしろかれはよろこんで松野金五郎と勝負をするにちがいない。金五郎という男もかなり腕がたつ、市之進の槍《やり》は定評がある、勝負がどちらのものになるかわからない、けれど討たれるにしろ返り討ちにするにしろ、これで市之進はさっぱりと過去のあやまちを清算することができるのだ。——かれもさぞさばさばすることだろう。そこまで考えて新六郎も気持がおちついた、そしてその翌《あく》る日、食事をしまってから紙屋町すじにある楯岡の屋敷をおとずれた。

ゆうべの月夜につづくからりと晴れたさわやかな午前だった、案内された客間には、あるじ市之進のほか印東弥五兵衛がいた、ふたりはこわだかになにか話していた、新六郎がはいってゆくと弥五兵衛がにやっとふり向き、「やあ、もう来る頃だと思っていたよ」かれはそう云って少し座をゆずった。「どうぞこちらへ、どうぞ」「早朝から失敬します」会釈《えしゃく》して座につくと、新六郎は弥五兵衛をかえりみた。「それではもう話はしたのだな」「うん話した、みんな話したよ」「おぼえがあるのか、楯岡」市之進はさすがにおもぶせな顔つきだった。ちょっと眼を伏せて、しかしわるびれずにうなずいた。「若気のあやまちだった、そう申すほかに一言もない」「それでいい、それ以上なにも聞く要はないよ、そしてむろん、そう云うからには覚悟はきまっているだろうな」「いやそいつはもういいんだ」弥五兵衛がそばから口を挿《はさ》んだ、「そのことならもうきまりがついたよ」「――きまりがついた」「是をみて呉れ」そういって弥五兵衛が長い竹杖をそこへさしだした、ひと眼みて新六郎にはその竹杖がなんであるかわかった、かれは手を伸ばしてとり、ぐっとひき抜いてみた。まさしく、それは昨夜の乞食が持っていたあの無反の直刀であった。「どうしたのだ、これはどういう意味だ」「おれが斬ったんだ」弥五兵衛はずばりと云った、「事のおこりはおれだ、おれがため し斬りをしようとしたためにあんな事になった、楯岡は朋友《ほうゆう》だし、貴公とはまた義理の兄弟になる、おれのつまらぬいたずらからこんな事になっては両方に申しわけがない。だから、――おれはあれから引返して斬ったんだ」そう云って弥五兵衛はおのれの大剣を手にとり、二人の前へさしだしながら大きく笑って云った、「やっぱり粟田口の新刀はよく斬れるよ、みせたいくらいだった」新六郎はきっと眼をあげた。「印東、貴公どうして斬った」「――え」「尋常に名乗って斬れる相手ではない、どのようにして斬ったか聞こう」「それは、いやそれは、まさにそうだ」弥五兵衛はちょっとどもった、「かれはたしかにおれより上を遣う、だがおれたちと話し合ったあとで安心していたらしい、『かたきの手引きをするから一緒にゆこう』とこえをかけたら、かれは慌《あわ》てて洞穴から這《は》いだして来た、そこをやった」「騙《だま》し討ちだな」さっと新六郎の顔が蒼《あお》くなった。

四

騙し討ちだなというひと言は弥五兵衛をびっくりさせたらしい、弥五兵衛だけではなく市之進もはっとしたように眼のいろを変えた。新六郎はその二人の顔をしかと見て、かれらと自分の考えかたの隔りの大きさを知った、もはや言葉ではどうしようもない、言葉でかれらを説服することはできないと思った。「印東、貴公はおれが、松野金五郎に力添えをすると約束したのを知っているはずだ、松野はおれたちを武士と信じてすべてをうちあけて呉れた、いいか、この二つの点にしかと念を押して置くぞ」「どうしようというのだ周藤」市之進がさぐるようなこわねで訊いた、その眼をひたと見かえし、竹杖の刀を左手に持って新六郎は座を立った、「この刀はおれが預ってゆく、おれがどうしようと考えているかはそれで推察がつくだろう、――だが妹の縁につながる貴公と、命のやりとりをするようになろうとは思いがけなかったよ」

云い捨てて足ばやにその部屋を出た、玄関で弥五兵衛が追いついて来た。

「待て、周藤、貴公ほんとうに楯岡を斬るつもりなのか」

「勝ち負けはわからぬ」草履をはきながら新六郎は答えた、「おれは刀の持主に約したことをこの刀に果たさせるだけだ」

「だがそれはおれの面目をつぶすことにもなるぞ」

「面目だと――」ほとんど叫ぶように云って、新六郎は射ぬくように弥五兵衛を見た。「きさまにどんな面目があるんだ、印東。恥を知れ、この刀で斬るのは市之進ひとりではないぞ」

「………………」「よく考えて覚悟をしておけ」そして新六郎はそこを出た。

かれはその足で池田玄蕃の屋敷をたずねた。怒りのために身も心も震えていた、言葉ではどう云いようもない、最も清浄なものが最も穢《けが》れた土足でふみにじられた、そのやりきれない汚辱感が血にしみこみ全身をかけまわっている感じである。かれは玄蕃に御しゅくんへのめどおりのかなうようにたのんだ。「どうした、なにかできたのか」「仔細《しさい》は御前でなくては申し述べられません、なるべく早くおめどおりのかなうようお計いを願います」「だが理由が知れなくては計いかねるぞ、いったいどうしたというのだ」たしかに、仔細もわからず目通りが願えるものではない、新六郎はやはり事情を語らなければならなかった。聞き終った玄蕃はひどく当惑したようすで、ながいこと黙って考えていた。「そうか、仔細はそれでわかった、そこもとが望むなら拝謁《はいえつ》の儀を願ってみよう」「なにぶんおたのみ申します」「一両日うちに返辞をやるから」

そう聞いて新六郎は玄蕃の屋敷を辞した。そして家へ帰ってみると妹のさだが来ていた。――どうして、ちょっと戸惑いをしたがすぐに察しはついた。市之進になにか云い含められたか、それとも自分の思案でか、いずれにせよ執成《とりな》すつもりで来たにちがいない、そう思ったので言葉もかけず居間へはいった。妹はあとを追うようにして来た、「なんの用があって来た」かれは叱《しか》りつけるように云った、さだはしずかにそこに坐って兄を見あげた。「わたくし去られて戻《もど》りました」えっと云って新六郎は妹を見なおした、まったく思懸けない返辞だったのである、そしてそう聞いたときすぐ、――これがおれの返辞だ。という市之進の顔が見えるように思えた。いまこそ正体がわかった、謙譲の裏に隠されていたもの、人にとりいることの巧みさ、弥五兵衛の陋《ろう》劣《れつ》な行為にもさして驚かなかった態度、それこそまさに松野金右衛門を闇討ちにしたかれの性根だ。過去のあやまちから、正しい人間に立ち直ったとみたのは誤りである、かれはやはり卑劣で醜悪なのだ、ただそれを隠していたにすぎなかったのだ。

「おまえは楯岡へ嫁したからだではないか」新六郎は妹をねめつけながら云った、「おのれにあやまちのないかぎり去られるということはない、なぜ戻った」「死ぬはずでございました」さだはつつましく答えた。「でもわたくし、身ひとつではございませんので、それで戻りました」「身ごもっているのか」はいと云って俯向《うつむ》くさだの頬に、かすかな羞《はじら》いの色がうごいた。新六郎はきりきりと胸が痛むように感じた、けれどすぐに心はきまった。「よし、死んではならぬ、その子は兄がひきうけた、丈夫に産みおとして育てるのが、これからのおまえの生涯のつとめだ、めめしい心では末とげぬぞ」さだは黙って両手をついた。しかしその柔かな肩のどこやらに、母となるべきおんなのかたい決意が表白されていた。

五

次ぎの日、玄蕃から迎えの使が来た、すぐ登城のできるように麻裃《あさがみしも》に支度を正していった、玄蕃はかれを自分の居間へとおした。「考え直してみないか」老人はなだめるような口調で云った、「そこもとの義理を重んずる気持はよくわかる。しかしここはひとつゆきがかりの感情をぬきにして考えてみたい。――松野なにがしの孝心はまことにあっぱれであるし、非業《ひごう》の死もいたましいには相違ないが、印東のしたことも悪意ではない、おなじ家中の朋友のためを思ってした、その結果が道にはずれたことになったので、動機はやはり酌量《しゃくりょう》すべきものがあると思う。むろん、これが事の起るまえなら云うことはない、しかし当の松野なにがしが死んでしまった今、血縁でもないそこもとが代って仇討《あだうち》をするというのはゆきすぎではないか。印東をも斬ると云ったそうだが、いまさら二人を斬ったところで松野の命がとりかえせるものではない、このうえまた二人の命を失うということは、悲惨の上に悲惨をかさねるだけではないのか」

　黙って答えない新六郎の拳《こぶし》が、袴《はかま》の上でかすかにふるえていた。

「考え直してみい周藤、世の中には武道一点を押しとおすだけで済まぬ場合もある、このうえふたり死者をだすことはないぞ」

「……では」と新六郎は忿《いきどお》りを抑えた声でたずねた。「おめどおりの事は願えませぬか」

「わしは考え直して呉れと申しておる」

「その余地はございません」かれはきっぱりと云った、「申上げるまでもないと存じますが、人の命はまさしき道の上にあってこそ尊いのです。このような不法無道を見のがしてどこに正しき道がありましょう、大切なのは生きることではなく、どう生きるかにあると信じます。わたくしはかれらを斬ります」

「やっぱりそうか」やっぱりと玄蕃は溜息《ためいき》をついた、そしてかれのほうは見ずに、独り言をつぶやくような調子で云った。「云いだしたら肯《き》くまい、だがよくよく勘弁するように申せ、……殿はそう御意なされた、おめどおりには及ばぬと思う」

「お上が、お上がそう仰《おお》せられましたか」はじめて新六郎は手をおろした、「かたじけのう存じます、そのお言葉はおゆるしの御意と承わります、勘弁とは篤《とく》と道を勘考し弁《わきま》える意味。かならず、仰せにそむかぬよう仕《つかまつ》ります」

「検視役のお沙汰《さた》はないから」

「承知仕りました」

玄蕃の屋敷を辞した新六郎は、家へ帰るとすぐ二通の書状をしたためた。松野金五郎の討たれた場所を指定し、七つ刻（午後四時）までに来いという文言である。それを楯岡と印東へ持たせてやると、家扶をまねいて身のまわりの始末をした。妹さだは前の日すでに親族へ預けてあった、自分にまんいちの事があったあと、家士たちの困らぬようにして置けばそれで思遺すことはなかったのである。しかし、それから一刻ほど経《た》ったとき、楯岡と印東から書面を突き返して来た。――こちらは指定の場所へ出向く必要をみとめない。かような書面を受け取る理由もない。両方ともそういう意味の手紙がつけてあった。おそらく二人で相談の結果したことであろう、新六郎はちょっと考えていたが、それを纏《まと》めて池田玄蕃のもとへ届けさせた。こうなればこっちから乗りこんでゆくよりほかに手段はない、かれは心をきめてすぐに身仕度をした。

印東弥五兵衛の家は城の大手、西大寺《さいだいじ》町の中の辻《つじ》さがりにあった。玄関に立って案内を乞《こ》うと、家士が出て来て主人《あるじ》は留守だと答えた。「留守というのはたしかか」「ご不審なればあがってお検《あらた》め下さい」「出先はいずれだ」「楯岡さまへと申し遣されました」それならたしかだ、そう思ってそこを出ると、壕端《ほりばた》へ出て北へ向った。楯岡の家は上の町にある、少しまえから吹きだした北風がようやく強くなり、乾いた道からしきりに砂塵《さじん》を巻きあげていた。かれはその風を押切るようにまっすぐにあるいていった。

六

楯岡の家は門を左右にひらき、玄関まできよ砂が撒《ま》いてあった。かれは門前で立ちどまり、襷《たすき》をかけ汗止めをし、袴の股立《ももだち》をとって、左手に竹杖の刀をひっさげながら大股に玄関へ近よっていった。声をかけたが返辞はなかった、二度、三度、それでも出て来る者さえなかった。かれは草履をぬいで式台へあがった、それを待っていたように、正面の杉戸があいて楯岡市之進があらわれた。すっかり身仕度をして鞘《さや》をはらった半槍をかいこんでいた。

「来たか出すぎ者」叫んで槍をとりなおす、新六郎は竹杖の刀を抜いた。「大和のくに高取藩士、松野金五郎に代って亡《な》き父子の怨《うらみ》をはらす、勝負」勝負と叫んだかれは、自分の胸板を槍へぶっつけるような態度で、ずかずかと市之進のほうへあゆみ寄った。法も術も捨てた態度だった、まるであけっぱなしだった、さあこの胸のまん中を突けといわんばかりである、市之進は思わずうしろへさがった、その刹那に新六郎は杉戸の一枚を蹴倒《けたお》した。ぱりっというはげしい音をたてて杉戸が倒れるとたんに、かれはつぶての如《ごと》く次の部屋へとびこんだ。

そこには印東弥五兵衛がいた、市之進が杉戸口からさそいこむところを、脇《わき》から斬ってとる構えだったのである。だから、いきなり杉戸を蹴倒されたとき、弥五兵衛は裏の裏を掻《か》かれてかっと逆上し、とびこんで来た新六郎へ夢中で斬りつけた、むろん届くわけがない、空を打ってのめり、畳へ割りつけた。そのとき新六郎はもう市之進を縁先まで追いつめていた。……屋敷のなかはひっそりとして、一瞬すべてのものが音をひそめた、市之進は半槍を中段にとり、庭を背にして立っている、新六郎は刀を青眼につけ、相手の眼をひたと見ながら、ぐいぐいと真向に進んでゆく、弥五兵衛などに眼もくれなかった。絶叫がおこり、市之進が突っこんだ、新六郎はよけもせず、そのまま踏込んで上段から斬りおろした。市之進の槍は新六郎の着衣を貫き、新六郎の刀は市之進の真向を割っていた。弥五兵衛はそのとき新六郎のうしろへ迫っていた、そして市之進が槍を突っこむのと同時にうしろから新六郎の左胴へ斬りつけた。その太刀は少しさがったけれど、まさに腰骨の上へはいった。胴へはいったら致命だったに相違ない、腰だったので骨へ達しただけだった。新六郎はうんとも云わずふり返り、「きさまは、いつもうしろからだな」と叫んだ、弥五兵衛は二の太刀をふりあげたが斬りこめなかった、新六郎の腰はたちまち血に染まってゆく、しかし平然たる顔でぐいぐいと進んで来た。弥五兵衛は蒼白《そうはく》になり、右へまわりこもうとした。その刹那に新六郎がとびこんだ、飛鳥のようなすばやさだった、あっと弥五兵衛が夢中で刀を振ったが、新六郎のうちこんだ太刀は、かれの首の根をなかば以上も斬り放していた。

——斬った。そう思った。そして倒れている市之進と弥五兵衛の姿を見かえして、かれはぐたりとそこへ膝《ひざ》をついてしまった、はじめて腰の傷がきいて来たのだ。しかし、かれが崩折れたとき、庭のほうで人の声が聞えた。「傷をしたようすだ、いってみてやれ」聞きおぼえのある声だった、かれははっとして眼をあげた、狭い庭のさきが高野槙《こうやまき》の生垣《いけがき》になっている、そこに馬上の武士がこちらを見ていた。――殿だ。しのび姿で、笠《かさ》を深くさげているが、それは御主君光政公にまぎれもなかった、新六郎は平伏した、そこへ庭の木戸から玄蕃がはいって来た、それを追うように光政のよびかける声が聞えた。

「傷が治ったら、二人の髪を持って高取へ届けさせるがよい、戻るまで閉門を申付けるぞ」

平伏した新六郎の眼から、はらはらと涙がこぼれ落ちた。――戻るまで閉門。そのひと言に慈悲のすべてが籠《こも》っている。やはり御しゅくんは自分のした事をおわかり下すった、新六郎は面《おもて》もあげ得ずくくと噎《むせ》びあげた。玄蕃が近寄って来る。「やったな、やったな」という声が感動にふるえていた。

（昭和二十年三月刊『夏草戦記』初収）

葦《あし》

一

その葦《あし》たちは一日じゅう巨《おお》きな椎《しい》の樹《き》のうっとうしい陰で風に揺られていた。将監台《しょうげんだい》と呼ばれる丘の突端をめぐって、にわかに幅をひろげる川は、東へと迂曲《うきょく》しながら二十町あまりいって海へ注ぐ。川幅がひろがって大きく曲る左岸の、抉《えぐ》ったようにに岸へ侵蝕《しんしょく》したところに淀《よど》みがあり、そのみぎわに沿って葦は生えていた。うしろは脆《もろ》くなった粘土質のあまり高くない崖《がけ》で、その上にはずんぐりと横に伸びた古い椎の樹が七八本並び、篠竹《しのだけ》や灌木《かんぼく》が繁っている。淀みはもとかなり深かったのだが、流れてくる土砂や朽葉などが沈積するのと、絶えずぼろぼろ崩れ落ちる崖土とで、岸のほうからしだいに浅くなり、水の涸《か》れる冬期にはかなり広く醜い川床があらわれる。しかし泥《どろ》は深いうえにまだ柔らかく、水藻《みずも》がよく繁殖するので、魚たちは産卵のために好んでそこに集った。

その岸は北に向いていた。また上からは椎の樹立の黒ずんだ枝葉や叢林《そうりん》がのしかかっているため、いつも暗くじめじめして、空気は湿った黴臭《かびくさ》さに満ちていた。みぎわの葦は日光に恵まれなかった。茎は細く色も浅くなよなよしていて、葉の繁る頃には少しの風にもよろめきそよいだ。愚なよしきりは羽を休めようとしてしばしば振落され、弱い茎を折ってはおお騒ぎをしてどこかへ飛んでいった。……そこでは時間が想像も及ばないほど退屈に、のろのろと経《た》っていった。なにごとも起らなかった、まれに川獺《かわうそ》が魚を追いこみでもして激しい水音を立てるほかは、いつもしんと陰鬱《いんうつ》にひそまりかえっていた。

秋にはいったある朝、空は明るんでいるが地上はまだ暗く、川面《かわも》に霧が立ちはじめているとき、ひとりの若い女がこの岸へ下りて来た。篠竹や木の根を手がかりに、崖土を踏み崩しながら。女は美しかった、だが清楚《せいそ》とか純真とかいう感じとは遠く、どこかに不道徳な匂《にお》いさえする美しさだった。眉《まゆ》も額の生えぎわも剃《そ》りこんであった。眼きめの密《こま》かなひき緊《しま》った肌は、不断のていれのよさを思わせる、唇《くちびる》は乾いていた。はなだ色は大きく眸子《ひとみ》は澄んでいるが、人を唆《そそ》るような悩ましげな光を帯びていた。はなだ色の地に秋草を染めだした帷子《かたびら》の着かたも、じみな藤どっこの博多《はかた》の帯の締めかたも、胸乳や腰の線を巧みに生かして、きりっとしながら崩したふうがみえる。……女はみぎわに来て蹈《かが》んだ。それから抱えていた筐《はこ》を膝《ひざ》の上に置いた。さしわたし五寸ばかりの円い螺鈿《らでん》の筐で、紫の丸紐《まるひも》が打ってある。女は紐を解き、蓋《ふた》をあけて、中から鬱金《うこん》木綿に包んだ物をとりだした。ちょっとためらったのち、女はそれをひろげた。くるんである綿をのけると、古い漢鏡が一面でてきた。……女は古鏡のおもてを拭《ふ》いて、そこにうつる自分の顔をみつめた。

霧は濃くなって、川波の上を低くゆるやかに這《は》いはじめた。空には赤みがさし、霧を透して高く鳥の渡るのが見えた。……鏡をみつめる女の表情が変った。きわめて僅《わず》かな時間に、眼のまわりに暈《かさ》があらわれ、それが顔つきぜんたいに深い陰翳《いんえい》を与えた。眸子は大きくなり、きびしい光を帯びて耀《かがや》いた。「いただいてまいります」女はこう呟《つぶや》いて、鏡を元のように包み、ふところへしまった。そして袂《たもと》から一通の封じ文をとりだし、筐の中に入れて蓋をした。紫の紐を結ぶとき女の手はふるえ、眼から泪《なみだ》がこぼれ落ちた。

霧はいよいよ濃くなり、条をなし、渦《うず》を巻いて川しものほうへと揺曳《ようえい》している、微風が立ちはじめたのだ。澄んだ声で鳴きながら、一羽の鶺鴒《せきれい》が葦の上をかすめ、淀みのかなたへ飛び去った。

みぎわの土の上に筐を置いて、女は立ちあがった。川面を見た。乾いている唇をなめ、つよく歯で嚙《か》みしめた。それから穿《は》き物のまま片足を水の中へ入れた、そしてもう片方の足を。右手で裾《すそ》を摑《つか》んだ、僅かに白い脛《はぎ》があらわれた、ふた足、み足。水は脛についた。女の顔がひきつり、それが誇りがましい、そしてひじょうに美しい微笑になった。霧が巻いてきて、女の半身を包み、渦を描いた。岸から十五尺、水はやがてその腰を浸した。霧はいよいよ濃く、かつ厚みを増した。女の姿は幻のように薄くなり、やがてまったくかき消された。……みぎわの葦が淀みの端のほうから揺れだした、風が出たのである。霧のながれは速くなり、巻きあがったり千切れたりした。ほんの一瞬間、女の姿が見えた。半身を水に浸し、こちらへ背を向けて、なおしずかに川心のほうへ入ってゆくのが、……しかし霧はたちまちその乳色の条で女を押包んだ、もはやなにものも見えなかった。

葦はしきりに揺れそよいだ、互いになにごとか囁《ささや》き交わすかのように、葉と葉を触れあわせてさやさやと鳴った。川上へ去った鶺鴒が、その波を描くようなせかせかした飛びかたで戻《もど》って来、葦の間へ隠れたとみると、まるで思いもつかぬ処《ところ》から舞い立ち、するどく鳴きながら川中のほうへ消えていった。葦はさやさやと、いつまでも飽きずに、なにごとか囁きあっていた。

二

将監台の上も霧だっていた。丘の中どころに、樹立《こだち》に囲まれた広い草地がある。草地の端に若い武士がひとり立っている、顎骨《あごぼね》のはっきりした、眉の濃い、眼の明るい、意志の強そうな顔である。彼は千神市蔵《せんがみいちぞう》といって、その藩の勘定奉行所に勤めている、食禄《しょくろく》は三百石、位置は物頭格《ものがしら》で年は二十七歳だった。……彼はもう四半刻《しはんとき》もそこで待っていた。刻限は過ぎている、帰ってもよいのだが、その決心がつかない、もうしばらくと思う。ここでは霧がほとんど動かない、頭上はすっかり明けて、橙色《だいだいいろ》に染った雲が鮮かに見える。市蔵はふと振返った、眉があがった、坂道を登って来る忙しげな足音が聞えたのである。市蔵は刀をさげ緒をとって襷《たすき》をかけ、袴《はかま》の股立《ももだち》を絞った。そのとき草地の東端へ、樹立の中からひとりの若侍が走《は》せつけて来た。彼は同じ藩のさむらいで菅野又五郎《すがのまたごろう》という、蒼白《あおじろ》く痩《や》せて、とげとげした、絶望的な顔つきで、ひどく血ばしった眼をしている。唇は白く乾き、走って来たからだろう、苦しそうに喘《あえ》いでいた。

「刻限に遅れた、すまない」又五郎はこう云いながら、はいていた草履をぬぎ、むぞうさに刀を抜いた。「……いざ」

市蔵は黙って相手の動作を見ていた。それから刀を抜いた。又五郎は焦点の狂った眼でこちらを見、刀を中段につけたまま「いざ」と、もういちど叫んだ。市蔵はしずかに刀を持直したが、すぐ下へおろした。

「どうした千神、なぜ刀を下げる」

「そっちにはたし合いをする気持がないからだ」

「ばかなことを云《い》うな」

「見たままを云うんだ」千神市蔵はおちついた眼で相手を眺《なが》めた。「そこもとには勝負をする気がない、このはたし合いはそっちから挑《いど》んだものだ、そっちに勝負をする気がなくなれば、おれにはもともと用のないことだ」

「どうしてそれがわかる」又五郎の白く乾いた唇がまくれて、歯が見えた。「おれに勝負をする気がないとどこを証拠に云うんだ」

「ともだちだからだ……」

又五郎の眼に驚愕《きょうがく》の色がはしった。市蔵は刀にぬぐいをかけ、しずかに鞘《さや》へおさめた。又五郎のうけた感動はなみたいていなものではなかったようだ。彼はなおなにか云おうとした、一歩、前へ出た。しかしそれが精いっぱいだった。彼はすぐ刀を投げだし、草の上へ坐《すわ》って両手で顔を掩《おお》った。市蔵はそっちへ近寄っていった、上から友を見た。

「正直に、ひとこと云え、菅野、なにかあったのか」

「おまえが正しかった」又五郎は呻《うめ》くようにこう答えた。「おれは騙《だま》されていたんだ、女は逃げてしまった」

市蔵は眉をしかめた。それから身を踞め、しばらく友の横顔を見ていた。又五郎は面《おもて》を掩ったまま、忿《おこ》っているというよりは虚脱したような調子で続けた。

「あいつはおれの誇りを食い名を食った、おれを世間から剝《は》ぎ、友達から掠《さら》った、おれにはもう一滴の血も残ってはいない、骨だけだ、それで、あいつは逃げた」

「たしかなのか、逃げたということは」

「証拠がある、しかし、云えない」

市蔵は考えるふうだった。しかしすぐに手を伸ばして友の肩を押えた。

「帰って寝るがいい、菅野、あとでゆくよ」

「…………」

「云っておくが絶望するな、そこもとは見た、味わった、経験したんだ、もし立ち直ることができれば、この価値は小さくない、騙すより騙されるほうがましだ、ことにさむらいとしてはだ、……これで済めば安いぞ、菅野、あとで会おう」

千神市蔵は去っていった。樹立までゆかないうちに、霧が彼の姿を押包んだ。……又五郎は同じ姿勢でながいこと坐っていた。

日が高くなってから、組町という処にある小さな住居へ、又五郎は帰って来た。その城下では『お小屋』といわれて、ごく軽い身分の侍たちの住む区域だった。部屋の数は三つしかない。十坪の庭まわりに板塀《いたべい》があり、屋根は杉皮で葺《ふ》いてある。建物は古く、風雨に曝《さら》されてしらちゃけ、はしゃいで、木理が彫ったように浮き出ている。これは侍の住居だということを示すだけのように、下僕《げぼく》の住む小屋が別にあるが、これはひひと間ぎりで床も低く、商家などなら薪《たきぎ》小屋にも使い兼ねるような粗末なものだ。……

食事のしたくをして、とぼんと莨《たばこ》を喫《す》っていた老下僕の清兵衛《せいべえ》は、主人の帰って来たけはいを聞きつけ、慌《あわ》てて漂っている煙を手で掻《か》き消しながら立った。又五郎は刀を右手にさげ、喪心したように部屋へはいって来た。

「飯はいらない」彼は下僕からそむきながら膳部《ぜんぶ》の前に坐った。「酒があったら欲しい」

「みてまいりましょう」

清兵衛はもう曲りかけた腰を伸ばしながら厨《くりや》へ出ていった。又五郎は仰反《あおのけ》に身を倒した。

三

夜半すぎから眠らずに駈《か》けまわった、その疲れと気力の消耗のためだろう、冷のまま湯呑茶碗《ゆのみぢゃわん》で三杯ばかり呷《あお》ると、頭がくらくらして飲めなくなった。彼は立って、隣りの六帖《じょう》へはいった。調度らしい物のなにもない、がらんとした部屋の中に、そらぞらしいほど明るく爽《さわ》やかな朝の日光がさしこんでいた。渋色になった古畳の上に団扇《うちわ》が一つ、褪《あ》せた水色の腰紐がひとすじ落ちている。去っていった女の遽《あわただ》しい立ちざまを示すかのようだ。彼は手枕をして横になり、眼をつむった。

女を知ったのは二年まえである。名はしほといった。かたちばかりに切花を売っているので『花屋』といわれるが、じっさいは酒と女を置き、小部屋あそびをさせる、しほはそういう家の女だった。おと年の夏、五人ばかりで舟を雇い、川狩りをした帰りに、舟で飲んだ酒の余勢でその家にあがった。彼には初めての経験だった。しほが眼ざとくそれを察して、自分から彼の側《そば》に来て坐った。

小さなうす暗い部屋へつれてゆかれ、二人きりで酒の膳を前にした、彼は酔っていた。女の眼がしきりに唆るような動きかたをした。

「あなたもやっぱりおんなじ男ね」女は彼の手から身をすりぬけながら云った。「なぐさみものとしてしか女をごらんになることはできないんですか」

「おれはそんな人間じゃない」

「それもおんなじだわ、男ってみんなそう云うのよ、はじめのうちだけね」

「おれにはわからない、どうすればいいいんだ」

「あたしを迷わせてちょうだい、あなたも迷ってちょうだい、それまでは、いや」

彼は明くる夜ひとりでその家へいった。それから繁しげ通いだした、女は色いろな面を見せた。茶を点《た》てたり、花を活《い》けたり、泥のように酔っているとも思えない狂態を示したりした、だがからだはゆるさなかった。ひきつけるだけひきつけておいて、とつぜん笑いだしたり、石のように冷酷になったりした。古風なてくだであったが、女はあとで告白した――本気になってはいけないと思って、もがけるだけもがいてみたのよ。

契《ちぎ》ってからさらに深くなった。男も女も不義理が嵩《かさ》んだ、定《きま》りきったなりゆきである。彼は二百五十石の納戸《なんど》役《やく》だったが、御用の金に手をつけたのが知れて、おもて沙《ざ》汰《た》になろうとした。そのとき千神市蔵が金を出してもみ消してくれたが、しかし役目は解かれた。……役の手当が無くなり、融通が止った。扶持米《ふちまい》をかたの借金の質ぐさもながくは続かない、物を売りだした。女も無理を重ね、二人ともゆき詰った。どん詰りになって、女は彼の家へ逃げ込んだ。女の家から人が来た。彼は酔って応対した、彼らは二人から絞れるだけ絞ったはずだ、自分はしほを正妻として迎えたのである。菅野又五郎の妻に対して指一本でも触れたら、……その挨拶《あいさつ》はもう市井《しせい》無頼の徒と差別がなかった、それから小粒を一つ投げだしてこう云った。

「おまえもむだ足ではつまるまい、まあ帰りに一杯やってゆくがいい」

女の家からはもうなんとも云って来なかった、だが仕返しの手は別のほうに伸びた。彼は支配役に呼びつけられ、家禄《かろく》屋敷召上げという達しを受けた。格別のお慈悲をもって小屋を賜わり、捨て扶持二十石を下さる、向後は身を慎むようにということだった。預かっていた三人の足軽も返し、めぼしい家財を売って、お小屋へ移った。ついて来たのは老下僕の清兵衛ひとりだった。

「これで世間に気兼ねがなくなった」彼はさばさばしたというふうに笑った。「竹の柱に萱《かや》の屋根、恋のゆくさきは昔から定っている、どうなるものでもない裃《かみしも》を衣《き》て、さようしからばと非人情な固苦しい暮しをしても一生、好きあった二人が誰に遠慮もなく差向いで、朝酒まろ寝の好きな暮しも一生、どうせ死ぬまでの一生だ、生きられるかぎり人間らしく生きようじゃないか」

情事は互いが零落するほど刺戟《しげき》が強くなる。それを唆るものは酒だ、二人は絶えず飲んだ。女は境遇に教えられて、快楽が適度に制限されなければならないことを知っていた、それが倦怠《けんたい》や弛緩《しかん》から二人を守った。……もちろん生活は詰るばかりだった。菅野家重代のものだという漢鏡だけ残して、恥かしいような物まで売った、女はとうに裸になっていた。

千神市蔵がとつぜん訪ねて来た。女と別れること、生活をたて直すこと、飾らない言葉でずばずば意見をした。

「やるだけやったではないか、しかしもうたくさんだ、どんなことにも切というものがある、もう切をつけなくてはいけない」

「冗談じゃない」又五郎は笑った。「おれたちの生活は始ったばかりだ、もちろん形式と体面だけで生きている貴公たちには、人間らしい生きかたはわからないだろう、黴臭い役部屋や、裃や大小を命の綱にしている貴公たちには……」

四

「そうだ、おれにはわからない」市蔵はしずかにこう云った。「生活というものはなにかを生みだすものだと信じている、そこもとたちの暮しは生活とはいえない、これは耽溺《たんでき》だ、なにものをも生まず、働かず、快楽に溺《おぼ》れて恥じないのは禽獣《きんじゅう》に等しい」

隣りには女がいた。市蔵の声には遠慮がない、聞えていることはたしかだ、又五郎は泣くような声ではたし合いを要求した。

――そして女は逃げた。又五郎はいま白じらとした気持でそう考える。救いようのない貧窮、安逸と懶惰《らんだ》に馴《な》れた女にはそれだけでも耐えきれなかったろう、はたし合いが事実になれば、結果のいかんにかかわらず係り合はまぬかれない、逃げるのは当然だ。

二年間を回想して、彼はいま索漠《さくばく》たる虚無の感に圧倒される、それは深酒のあとの精神衰弱に似ている、ちからのない絶望感と、疲労と、自己厭悪《えんお》、忿《いか》りも悲しみもない、それがむしろ彼をおどろかせる。……さしこんでいた日光が窓の外へ去り、涼風が立った、彼はおもくるしい不健康な眠りにおちていった。

午後になって千神市蔵が訪ねて来た。半刻ほど話して去ったが、その僅かな時間が二年間の友情の空白を塡《うず》めた、女のことには一言も触れなかった、はたし合いのことなどはまるで無かったような感じだった。

「久しぶりでいちどゆっくり飲もう」

帰るとき市蔵はそう云った。中二日おいて、松尾《まつお》という老女と弥生《やよい》という妹を伴《つ》れて市蔵が来た。酒や肴《さかな》の材料や道具などが運ばれて、松尾と弥生が厨におりた。そのうち旧友たちが五人やって来た、むろん市蔵の計らいである、みんなきのう別れたばかりのように隔てのない、うちとけた態度だった。宴が終ってから、市蔵はしばらく老女を置いてゆこうと云った。

「まるでおんな手がないのも不自由だ、松尾ならそこもとも古くから知っている、遠慮はいらないから使ってくれ、本人も承知だ」

辞退したが、結局は好意を受けた。松尾は弥生の乳母で、そのまま現在まで千神家に仕えてきた女である、明るいてきぱきした気質で、少しうるさいほど起《た》ち居がまめだった。

これはいい意味の目付だ、又五郎がそう気づいたときには、すでに新しい明け昏《く》れが動きだしていた。朝起きると、枕元《まくらもと》には衣服と袴が置いてあった、ずいぶん袴など着けたことがない、したがってきちんと穿いた気持は清《すが》すがしかった。三日にいちどずつ松尾が剃刀《かみそり》を取って月代《さかやき》をあたってくれた、肌衣《はだぎ》は毎日とり替えられた、狭い家の中は掃除がゆき届いて、香が炷《た》かれたり、床に花が活けられたりした。……朝酒のながい習慣も、松尾には云いだしにくかったし、ときたま眼をかすめるようにして飲んでも、おちつかないし、相手なしではうまくなかった。

百日ほど経った。彼は肥えて、血色がよくなった。このあいだに旧友たちは代る代る訪ねて来たし、彼を招いて幾たびも会食の席が設けられた、それから千神市蔵が講尚館道場へ伴れだして竹刀《しない》を握らせた。

「ふしぎなほど鈍っていないね」彼がひと汗かいて道具をぬいだとき、眺めていた市蔵が笑いながらこう云った。「さっき面から胴へ切り返したさばきなんか堂々たるものじゃないか、これなら春の総試合には出るんだな」

「冗談じゃない、まるっきりみえないよ」

「ひとつ叩《たた》かれてみよう」

市蔵は立って道具を着けた。三本たちあって二本とられた、しかし又五郎の取った一本はたしかなものだった、それが彼に云いようのないよろこびと自信を与え、ほとんど涙ぐんだ。

年が改まった、雛《ひな》の宵《よい》節句に、彼は千神家へ招かれた、客は彼ひとりだった。母堂や二人の妹たちが心をこめて接待してくれた。そのあと、差向いで酒を飲みながら、市蔵がしずかに彼の眼を見、さりげない調子で女のことを訊《き》いた。彼はごくしぜんに苦笑した、ごくしぜんに……。

「だが、それはたしかなのか」

「たしかだ、あれは機会を待っていたんだ、うちに重代の古鏡があった、売り食いも底をつきかけたとき、道具屋が二十金で買おうとせびった漢代の珍しい品だそうだ。重代の家宝というのでつい売りそびれていたが、あれはそいつを持って逃げた、おかげで支払いも済んだことになる」

「気持にもあとくされはないか、もういちど逢《あ》うようなことがあっても……」

「灰には火はつくまい、きれいに燃えきった」

「けっこうだ、そこで相談がある」市蔵は盃《さかずき》を置いた。「そうはっきりしたら勤めに出ないか、おれの役所で書役に空席がある、どうだ」

「承認されるだろうか」

「風当りは強いだろう、だがいずれにしても贖《あがな》い無しというわけにはいかない、問題はそこもとの辛抱いかんにある」

又五郎は少し考えさせてくれと答えた。

五

それから一年のち、又五郎は勘定役所での恪勤《かくきん》を認められて元締方の量目預かりにあげられ、その役を三年勤めた。仕事は年貢《ねんぐ》や運上収納の監察が主で、事務そのものも微妙だし、納税者との関係もむつかしいことが多かった。ことに大きな地主や富商たちとは伝統的なくされ縁がある、彼はきわめて巧みに、彼らと自分とを不即不離の状態に置いた、関係を断ちもしなかったし、情実にまきこまれもしなかった。それだけのことでさえ、一般の納税者には『公平』という印象を与えたのだろう、彼の評判はよく、収納の成績はあがった。

三十一歳になったとき、又五郎は二百五十石の元高と家格を復活され、勝手方元締りに擢《ぬ》かれて、新たに屋敷をもらった。……これは例のまれな出頭だった。かつての情事のゆえに、零落のゆえに、そしてそこから立ち直ってきた勇気のゆえに、人びとの彼に対する信頼は深かった。彼はそれを知っていた、もはや酒は飲まなかった。おおやけの宴席でも、初めの一杯をあけると盃を伏せた、どんな重役とのつきあいにも茶屋でいりは避けた。そして屋敷へ帰ると、ひそかに貯蓄の計算をした。

勝手方元締りを命ぜられて二年、三十三歳になったときである。彼は市蔵を訪ねて「ちょっとつきあってもらいたい」と云い出した、そしてまっすぐに将監台へいった。早春のことで、樹立《こだち》はまだ裸だし、草地も荒涼と枯れていた、又五郎は友とその草地の上へ来て立った。……彼はしずかにあたりを見まわし、それから市蔵の眼を見た、市蔵は頷《うなず》いた。それは「なにも云うな、わかっている」という表情だった。

「そうだ、云うことはない」又五郎は頭を垂れた。

「そこもとのしてくれたことを、言葉で表現することはできない、ひとりの人間が、世間的にも自分のなかでも、あれほど落魄《らくはく》し堕落しながら、そこから立ち直るなどということは奇蹟《きせき》に近い、しかしおれはこう思う、おれの落ちこんでいたあのような状態のなかで、『ともだちだから』というひと言を聞くことができたら、どんな人間でも立ち直るちからを与えられるだろう」

「その関係は相対的なものだ、そこもとは溺れかけ、おれは陸の上にいた、おれには浅瀬が見えていた、それだけのことだ」

又五郎は黙ってふところから袱紗包《ふくさづつみ》をとりだし、友の手へ渡しながら「納戸役のとき不始末を救ってもらった金だ」と云った、市蔵はなにも云わずに受取ってふところに入れた。

「おれはふしぎに思う」将監台から伴れだって去りながら、又五郎は述懐するようにこう云った。「人間を慰め、ちからづけ、世の中を美しく楽しくしてくれるものは、女性と、酒だ、どちらも人間生活を豊かに、生き甲斐《がい》あるものにするためには欠かすことができない、それにもかかわらず、その二つのものが時に人間を堕落させ破滅させるのはなぜだろう」

市蔵はなにも云わなかった、又五郎もあとは続けなかった。

その年の秋に彼は結婚した。相手は槍刀奉行のむすめで、いちど他へ嫁《か》して不縁になった女だった。彼にとって、結婚はすでに事務の一つだった。家には妻がなければならない、家政を任せ子を生ませるために、情熱や理想や夢は遠く去っていた。祝言《しゅうげん》のとき、彼は精《くわ》しい計算書を作って、費用はすべてを妻の実家と折半にした、義父は渋い顔をして割前を払ったが、婿《むこ》がそれほど『しまつ屋』になったことを誇り、それを吹聴《ふいちょう》した。

五年のあいだに子供が三人生まれた、みんな男だった。良人《おっと》から愛されていないことを知っていた妻は、初めて主婦の位置と権利を握り、そして肥《ふと》って、子供たちを溺《でき》愛《あい》した。なぜなら、良人は将来のためにそれ以上子を生むことを欲せず、彼女を近づけなくなったから、そのためにちょっとした問答があった。

「そういうことは不しぜんではないでしょうか」

「それが人間生活だ、しぜんのままに従うのは禽獣草魚だけだ。田や畑は、しぜんに任せると役にも立たない雑草に掩われてしまう。人間は撰択《せんたく》し、刈り、抜き、制限する。これは反自然だが、人間を利益し進歩させる」

「わたしには理屈はわかりません、けれどわたくしたちほどの身分なら、もう二人や三人は育てるのが普通だと思います」

「おまえは計算を忘れている、長男は家を継ぐが、二男以下は養子にゆくか、部屋住で一生を終らなければならない、それは当人の不幸ばかりでなく、世間の無要な負担になる、武家で家を分けるだけの蓄財なしに子を生むのは不徳義だ、いちどよく計算をしてみるがいい」

た。

妻は三人の子供たちを溺愛することで不満を柔らげ、同時に自分を保証しようとした。

彼はこのあいだ郡目付を二年やり、勘定奉行所の役所取締りに出世した。千神市蔵が勘定奉行になった跡を襲ったのである。食禄は三百二十石になり、足軽も七人預かっていた。そしてそこで三年勤めてから、こんどは用人格にあげられ、役料百石を加えられて江戸詰を命ぜられた。……これも異数の出頭である、そのとき彼は髭《ひげ》を立てようと決心した。

六

風が渡ると葦たちは波をうって光りながら揺れそよいだ。

かつては淀みの岸に沿って、疎《まば》らに弱よわしい茎を伸ばしていたのが、拡《ひろ》げるだけ根を拡げ、すでに淀みの半ば以上を掩いつくしている。またそこには幅六尺ばかりの水路が縦横に切拓《きりひら》いており、秋から冬にかけて葦刈りや鴨猟《かもりょう》の舟が往来した。……端から絶えずはらはらと崩れていた岸は、そのためにずっと後退し、なぞえに低くなった。巨きな椎の樹は一本だけ残して伐《き》られ、篠竹や灌木の茂みは畑になっている、したがって今はみぎわも明るく、陰鬱《いんうつ》な眺《ながめ》はみられなくなった。

夏にはまれな淋雨《りんう》があがって、空いっぱい眼にしみるほど鮮かな碧色《あおいろ》に晴れた朝、ひとりの老人が釣竿《つりざお》と魚籠《びく》をさげてこのみぎわに現われた、菅野又五郎であった。生《き》麻《あさ》の帷子《かたびら》の着ながしで、脇差《わきざし》だけ差した腰に、高価な莨入《たばこいれ》が揺れていた。見たところ彼はすべてに満足した隠居というふうだ。過去に良心の咎《とが》めもなく、現実に不安もない、道徳も秩序も彼を護《まも》ってくれるし、世間はその功績と権威を認め、尊敬をはらっている。たしかに、彼は満足した老人であった。だがすべてに満足しているわけではない。口髭は白いが髪毛はまだ黒くてたっぷりある、顔色も艶《つや》つやしているし、固肥りの体は弾力と精気に満ちている。彼はその年の春に御用頭を辞し、家を長男に譲って隠退した、しかしそれは国家老の席を獲るための予備手段であった。隠退すれば多年の功労によって年寄役に任ぜられる、それは国家老格で藩政の監察官に当る。彼だけの経験と才能を活《い》かせば、そこから国家老の席へ手を伸ばすことは困難ではない、……彼にはもっともそぐわない魚釣りなどを始めたのも、世俗の野心を棄《す》てたとみせる姿勢にすぎなかった。

彼はみぎわに腰をおろし、釣竿を垂れた。岸は北へ向いているし、椎の樹の影がおちるので涼しかった、風もよくとおり、葦がさやさやと揺れわたった。

やがて煙草《たばこ》が喫《す》いたくなって、持っていた竿を土に突き刺そうとした。そこは柔らかい粘土質で葦の根が張っているだけだ。突き刺した竿は反抗を受けた、しかし葦の根ではない、空洞《くうどう》を打つような手ごたえである。彼はこころみに竿の根元で土を掘ってみた、するとさしわたし五寸ばかりの、円い筺のような物が出てきた。……ぜんたいに脆くなり、朽ちかけている、だが昔は螺鈿《らでん》づくりであったらしく、処どころ青貝が剝げ残っているし、腐って見るかげもないが打紐の切端もある。彼は興味を唆られた、釣竿を別の処へ突き刺し、坐り直して、半ば欠け毀《こわ》れている蓋を取った。中には一通の封書がはいっていた。……彼はしばらく考えた、それが良心に恥じない行為であるかどうか、万一あばかれたとき自分を不利にする惧《おそ》れはないかどうか、それから安心して、その封書をとりあげた。

どれほどの年月を経たものだろう、筺が螺鈿であったために、辛くも形が遺っているというだけだ。湿気と、ながい時間の経過とが、それを一枚の板のようにしていた。彼は辛抱づよさと丹念さとで、少しずつ端から剝ぎほぐしていった。それはごく下手な、かな文字で書いた女の文であった。しかしすっかり墨が散っていて、始めのほうはまったく読めない、中ごろから以下もとびとびに、左のような数行の意味を判読できるだけだった。

……まる二ねん、七ひゃく余じつ、せけんもひとめもなく、よるもひるもなく、おもうままにちぎり申しそろ（不明）わたくしは身ひとつ、あなたさまはなにもかも、おいえも名も、おみうちも、ご朋友《ほうゆう》もおすてくだされそろ、あるにかいなき身に、このほうのそらおそろしく、みほとけのおんばちも思われ、冷たき汗に肌をひたし候ことも、しばしばにござそろ（不明）

……身もこころも、もえ尽しそろ、世のつねのおんなには、三生にもまさるほど、よろこびもたのしみもあじわい尽しそろ、このうえにいかなる日か候べき（不明）おだまきのひとつわざ繰りかえしても、もはや火は燃え申すまじ、このよろこびのうちに身をはててこそ、恋のすえとぐるみちと存じそろ（不明）

……あわれ、このようなる恋の候いしや、このようなる、よろこばしき死の、候いしや、七生を地獄に賭《か》けし身の、来世の願いはなし、かたみにはご家宝の、……

彼はとつぜん顔をあげた、釣竿の尖《さき》の鈴がリリリと鳴りだしたから。浮子《うき》が水面を走り、竿が撓《たわ》んだ、彼は手紙を投げて竿を取った。合せると、当りは強かった。精しい技術を知らないので、半ば夢中で立ち、竿を振った。逃れようとする魚のけんめいな運動が、彼の手へひどく直接に響いてくる。糸から竿を伝わるのではなく、手でじかに魚を掴んでいるような感じだった。……淋雨のあとで水嵩《みずかさ》が増していた、水も濁っていた。ひき寄せられた魚が、その濁った水の中に姿を見せた。魚は飜転《ほんてん》し、頭を振り、尾で水を叩いた、そのとき鱗《うろこ》が金色に光った。鯉《こい》だ。しかしまったくふいにみち糸が切れ、竿が軽くなった。急に二度ばかり水音をさせ、そして深みへ逃去った。

彼はしばらく棒立になっていた。それから苦笑しながら、汗を拭いた。釣る気もない竿へそんなおお物のかかったこと、まるで子供のように自分が昂奮《こうふん》したこと、どちらも思いがけなく可笑《おか》しかった。――こんなことが病みつきの元になるのだな、彼はそう思いながら、糸と鈎《はり》をつけ直し、こんどはかなりいきごんでそこへ坐った。なぜとはなしに、いま逃がしたような魚がもういちどかかりそうに思えたから。……糸を垂れ、ほっと吐息をついた、そこで読みさした手紙のことに気がつき、振返って見た。どこにも見あたらなかった、立ってみた。

「ここへ置いたんだが」こう呟きながら眺めまわした。そしてそれが水の上にあるのをようやく発見した、手紙は水路を流れていた、さっき立つとき落ちたのであろう。彼は竿を伸ばしてみた、もう届かなかったし、それ以上の手段をとるほど興味のあるわけではない、彼は坐った。

「どんな女からどんな男へ宛《あ》てたものだろう、遺書のようでもあったが、どうしてこんな処に埋まっていたのか、……女はどうしたか」

遠い記憶のなかでなにか燻《くすぶ》るものがあるようだ、しかしそれがなんであるかはわからない、彼は手紙の文字を思いかえした。まったく断片的でとりとめのないものだ、けれどもぜんたいに溢《あふ》れている恋のよろこび、凱歌《がいか》にも似た激しい恋のよろこびが、そして文章と字の拙《つた》なさが、彼に深い印象を与えた。もちろん、それはそれだけのことである、彼の意識はそんなものの上にながく留ってはいなかった。やがて腰から莨入をぬき、燧袋《ひうちぶくろ》をとりだした、彼は国家老就任のときの華やかな祝宴と、その費用を計算しはじめた。

しきりに風がわたり、葦たちはさやさやと鳴りそよいだ。片向きに波をうって、光りながら、互いになにごとか囁き交わすかのごとく、やみまなくさやさやと揺れそよいだ。

（「週刊朝日」昭和二十二年六月二十二日号）

荒涼の記

益軒《えきけん》の養生訓に「――殊《こと》に遠くつば吐くべからず。気へる」とある。遠くへ唾液《だえき》を吐くと精気を損ずるからいけないというのだ。それにしても自分は何と気のへる生活をしていることだろう、消化せぬに喰《く》い、醒《さ》めざるに酔い、時を選ばず寝、勉学を怠たり、恣《ほしいまま》に女に戯《たわむ》れ、絶えざる貧の鞭《むち》にうたれ半日として神《しん》の休まる時はない。養生訓はさらに教えて、食前食後に憂悶《ゆうもん》あるべからずというが、自分は箸《はし》を取るたびに、

――いったいこの飯は本当に己《おれ》のものかしらん。

という疑いに苦しめられる。質実剛健の気を養うのだと云《い》っては子供に繿褸《ぼろ》を着せているが、本当はひとなみの身妝《みなり》をさせてやりたいのだ。ふだん三文菓子ばかりやりつけているから、たまに銀座へ連れて行くと数日は忘れないでいて、

――さあ、コロンバンへ行きましょうよ、坊やはビスケットを喰《た》べるから。

と云う。爛乱して一夜に散ずる金を思えば、かかる時ああ悪いなと後悔せざるを得ない、これまた「気へる」――業であろう。

それにしてもこのごろは、自分もずいぶん修業が積んだものである、つい先達てまでは、月末が来るとみじめなほど怯々《きょうきょう》としていた。人の跫音《あしおと》が聞こえるたびに両手の

指を耳へ押し込んで、取りとめのないことを口の内で呟《つぶや》く、別に禁厭《まじない》をやっているわけではない、借金取りの声を聞きたくないのだ。ある日もそうやって耳を塞《ふさ》いでいたら、女房《にょうぼう》があがって来て肩を叩《たた》いた、振り返ると笑っているから何だと訊《き》くと、

——石井さんがおみえになりました。

と云うのであった。

風々雨々荘主人は自分にとって文学の先考であるが、貧乏に就いてもまた百日の長を許していた。自分が初めて女房と馬込《まごめ》に家を持った時、半年ばかりのうちに家賃をはじめ出入り商人の借金で嵩《かさ》んで、ほとほと手のつけられぬ状態に陥ったことがある。それこそ月末どころではない、来る日も来る日も、人の跫音さえすれば耳を塞ぎ眼をつむって呪文《じゅもん》を唱えていた。ある日この苦患《くげん》を告白すると、風々雨々荘主人は嗤《わら》って曰《いわ》く、

——要するに君の苦患は怯惰《きょうだ》ではないか、人生は相撲なのだ、家主や商人どもはつづめて云えば身長体重共に君より勝っている力士と云うに過ぎぬ、君は非力で軽量で技が無い力士だ、しかし相撲が土俵に登る場合にそんな条件の差でへこたれて居られるか。堂々と闘うべし、勝負は身長や体重で決するのではない、闘って闘って闘いぬく胆《はら》だ、玉椿《たまつばき》よく梅ヶ谷を屠《ほふ》ったではないか、軽少借金如《ごと》きが何だ!

ああその時風々雨々荘主人の肩が如何《いか》に怒ったことか、自分の下腹にどんなに力強い信念が萌《きざ》したことか。

あれから既に四年経《た》って、百日の長を許していた自分が、今ではどうやら貧乏では風々雨々荘主人を凌《しの》いでいるようだ。この間、ずいぶん自分はいろいろ勉強をした。

――人生は相撲だ、堂々とぶっつかるべし。

と教えた風々雨々荘主人が、何ぞはからん自邸に在っては自分と同じように、借金取りの声を聞くと慌《あわ》てて指を耳へ押し込むことを知ったし、どうでも自ら応対しなければならぬ時には、書斎の中でうんと四股《しこ》を踏み丹田に力を蓄えてから出て行く悲壮な顔も見た。

自分は去年の晩秋、路地の奥にあるこの茅屋《ぼうおく》へ移って来たが、おかしなことには移転と同時に自分の胆構えが違ったことである。居は気をうつすという簡単なものではない、前の家は女房と初めて持ったもので、いわば第一年生の続きであったのが、ここへ移ったことがもはや一年生ではないぞという気持を呼び覚したのである、こう云ってしまえばやはり「居は気をうつす」ということになるであろうか。

ここの路地には家が三軒あるが、移って来て間もなく、その三軒とも自分に負けない貧乏であるのに気がついた。角の画家は失職して女房の姉の仕送りでようやく生活しているし、前の出版業者は酒屋の勘定を四十円ため家賃を半年滞らせて居る。表隣りの家では書道教授の看板を掲げた親子三人ぐらしだが、夜になっても電燈がつかない、それからまた一向に弟子の来る様子もない。家主の話によると、旧《むかし》の弟子たちが二十人ばかり集まって金を出し合い、家賃や米代の面倒をみてやっているのだと云う。晩秋の夜、朔風《さくふう》ふきすさぶ中に、たれかしきりと書道教授の家の表戸を叩いている、今晩は某さん、――今晩は。

――三正屋ですわ。

自分の傍《かたわら》で縫い物をしていた女房が呟く。自分は筆を措《お》いて眼を閉じ、電燈を切られた家の中で、耳を塞ぎ呪文を唱えている書道教授の姿を想像した。するといつか三正屋の叩いているのは自分の家だという錯覚を起こし、思わず両手の指を耳の穴へ押し込んでしまう。こんなことをするたびにどんなに自分の「気はへっ」てゆくことであろう。

前の家では表向き出版業ということになっているが、実際は出版の何をやっているのか誰も知らない、家主が家賃の催促に行くと、二千円だのあるいはその他の大きな金高の小切手を見せ、

――これが明日取れるから。

と云うそうである。時々詩吟などが聞こえるので二階の小窓から見下ろすと、色の黒い角張った顔の主《あるじ》が、――壮士ひとたび去ってまた帰らず、とうたいながら靴《くつ》を磨《みが》いている。夫妻とも北海道の資産家の出だということだ、そのせいか貧乏に汚れた様子がなく、借金取りを断わるにも云うにいえぬ大様なところがある。ここでも自分は貧乏にへこたれぬ良い勉強をした。

先日風々雨々荘主人が見えたので、自分はこの貧乏路地の話をした、すると氏は眼を輝かせて、それやあ良い、己もここへ来て住もうかなと云ったが、その羨《うらや》ましそうな顔は些《ち》っともなかった、しかしいくら羨んでも、貧乏はもう風々雨々荘からこちらへうつってしまったのだ、今や訓話をするのは周五郎の番である。

（「ぬかご」昭和九年七月号）

〔戯曲〕大納言狐《だいなごんぎつね》

藤原時代末期のある秋のこと。
処《ところ》は摂津国《せっつのくに》八田《やた》部郡《べごおり》。森を背にした郡の街道を、里人男女が口々に『無名上人《むみょうしょうにん》』の名を唱えながら走り過ぎている。
塩冶《えんや》の翁《おきな》、矢野の翁がやって来る。それに後れて、うわぐみの翁が喘《あえ》ぎながら来る。
うわぐみの翁　俺が、呼んだではないかや、待ってくれろと、あんなに呼んだではないかや。（喘ぐ）
矢野の翁　俺じゃないぞ。俺ゃ知っていたのじゃ。俺ゃ、で、云《い》ったのじゃ。（喘ぐ）けれどもがや、その、やむやの主が云うには……
塩冶の翁　（強く否定して）いや、俺ゃ知らんぞ。俺ゃ我党に駈《か》けていたのじゃ。追われた鹿《しか》のように速くじゃ。（喘ぐ）俺の耳の中では、風がごうごうと呻《うな》っていたくらいなんじゃ。
うわぐみの翁　（拳《こぶし》を挙げて）跛《びっこ》の小豚じゃ。おのしはそれくらいっきゃ走れやせんのじゃ。（真似《まね》て）ほれ、こんなにしてじゃ。

塩冶の翁　鹿じゃ。追われた鹿のようにじゃ。俺のことを塩冶の人達は『駈け手』だと云っているんじゃ。

うわぐみの翁　それゃおのしの山に胡桃《くるみ》や葡萄《ぶどう》や栗《くり》がたくさんに熟れた時のことじゃわ。でなかった時、皆が何と云うか、俺ゃちゃんと知っているぞい。

塩冶の翁　(かっとして) 俺ゃ、もしそんな蔭口《かげぐち》をきくやつがあったら、俺ゃ、俺ゃ修羅《しゅら》の呪咀《じゅそ》をかけてやるわい。俺ゃ、つまり駈け手なんじゃ。鹿のように速いんじゃ。

うわぐみの翁　跛の豚じゃ。翅《はね》を焼かれたばゝったじゃ。

塩冶の翁　(声の絶頂で) 鹿じゃ。傷負《ておい》の猪《しし》じゃ。隼《はやぶさ》じゃ。弦《つる》を離れた矢じゃ。

うわぐみの翁　(弦を離れた矢と聞くに及んで、愕然《がくぜん》とうわぐんでしまう) ううう、う。

塩冶の翁　(得意に) そうじゃ。俺ゃ隼じゃ。弦を離れた矢なのじゃ。そうなのじゃ。

矢野の翁　(唾《つば》をのんで) で、俺ゃ、俺ゃ、いつもお主をそう云っていたんじゃ。街道をまた別の人達が走り過ぎる、口々に無名上人の名を叫び合いながら……。

塩冶の翁　あ、俺達ゃ馬鹿にでもなったのかや。大事なお説法に後れるわい。

矢野の翁　ま塩冶の主よ。待ってくれろ。
塩冶の翁　（走り出して）俺ゃ駈け手なのじゃ。走り出したら猪のように止まらんのじゃ。止めようとて止まらんのじゃ。（翁はよたよたと走り去って行く）
矢野の翁　（友達を揺すって）八田部の主やあい。おうい、隼たぁ嘘《うそ》じゃぞおい。お上人の説法に後れるぞやあい。（ほとんどうわぐみの翁を抱えるようにして去る）
　そこへ清原　明《きよはらのあきら》（大学寮の学生）とその友達の紀友雄《きのともお》（宮内省の少輔《しょう》）が来る。
清原明　何度云っても同じことだ。おれは出家するんだ。分かったか。
紀友雄　じゃあおれもいよいよ本当のことをぶちまけるが、おれはねえ、実は中将の禎子《さだこ》姫に頼まれて、京からお身の跡を追って来たんだ。
清原明　（咳《せき》をして）何の為《ため》に。
紀友雄　姫の艶書《えんしょ》を托《たく》されてさ。（どうだと云うように覗《のぞ》く）
清原明　へえ――ね。で？
紀友雄　で？　だってつまり、その、お身の恋焦《こが》れていた人が、その禎子姫が……。
清原明　その禎子姫がどうしたんだ。
紀友雄　おい、おい。おれをまごつかせないでくれ。おれはあまり頭のよいほうじゃないんだから。

清原明　それじゃとにかく簡単に話してやろう。
紀友雄　そう頼むよ。
清原明　おれは世中《よのなか》が厭《いや》になった。つくづく厭になったんだ。と云うのはまず第一に大学さ。おれは親父《おやじ》が墾田を寄付したお蔭で大学へ入った。おれはできたら太政官《だいじょうかん》の役人になりたいと思って勉強してきた。ところがよいお笑草、そんなことはまるで見当が違っているんだ。大学など馬鹿《ばか》正直に出たって何になる。去年の試験を見ろ。秦《はた》氏が二人、源氏が三人、田村氏とほかに渡辺が一人、落とされた。皆大学では選抜《えりぬ》きの頭の良いやつだ。それがぽかぽかと落ちた。何故だ。第一に皆藤原氏でなかった。第二には博士達の門を叩《たた》いて廻《まわ》らなかった。
紀友雄　それはね、それは無論。
清原明　片方では礼記《らいき》ひとつ満足に覚え込まぬやつらが、どしどし官に就いて行く。やつらは藤原氏か、でなければ博士達の門から出世の緒口《いとぐち》を叩き出す法を知っているやつなんだ。（両手をひろげて見せる）何もかもこうだ。よいか、何もかもだぞ。
紀友雄　なる程、それでお身はこの春来学校を怠っていたのだな。
清原明　おれは潔《いさぎよ》く故郷の出羽《でわ》へ帰ろうと思った。そこへ中将の姫が現われた。
紀友雄　あの北家の歌合《うたあわせ》の席でだな。

清原明　北家の歌合の席で初めてあの人を垣間見《かいま》たとき、おれは自分に恋の世界の残っていたことに気付いた。そこでおれは夢中になって恋をはじめた。

紀友雄　まるでお身は瓶子《へいし》でも購《あがな》うように話すなあ。

清原明　実際これには瓶子の匂《にお》いがあるよ。

紀友雄　（ふたたび覗いて）なるほど。

清原明　不思議な熱い血がおれの体を流れ始めた。おれはあの人の庭に忍んだ。半蔀《はじとみ》の間から簾《みす》を透して見えるあの人の裳《も》の色にさえ酔った。ああ、おれはどんなに迷ったことだろう。

紀友雄　そっくり艶書になる。

清原明　おれはもうこれ以上黙っていることはできないと思ったので、血を絞るような思いで、艶書を書いてあの人に贈ったのだ。

紀友雄　おれも見たよ。姫は名文だと云うので、皆に見せて廻ったからな。

清原明　ざまあ見ろ。

紀友雄　（面喰《めんくら》って）え、何だね。

清原明　下司《げす》だと云うんだ。そんな女は恥知《はじし》らずだと云うんだ。

紀友雄　それが出羽の哲学だね。

清原明　(肩を揺上げて) 話してしまおう。おれは艶書を書いて送った。するとどうだ、その晩にあの人から返詞があった。
紀友雄　飛礫《つぶて》のごとき返しだな。
清原明　今宵渡殿《こよいわたりどの》へ忍んで来いとさ。
紀友雄　しかも蜜《みつ》が塗ってある。
清原明　出羽風に云えば人を殺す毒さ。おれはその晩夜っぴて泣き明かした。
紀友雄　(ふたたび面喰って) 行かなかったのか。
清原明　(肩を聳《そび》やかして) ぜんたいあの人は何だ。あの人は藤原家の中将の愛姫《まなひめ》だ。気高い額、匂う眉《まゆ》、葩《はな》のような頬を持っている。だが、それが何だ。おれが艶書を贈ったのは恋がおれを責め酔わしたからだ。おれの心が破れるかと思われた余りだ。おれは三日三晩睡《ねむ》らずに文を練って書き、地も揺らぐ思いで贈ったのだ。ところが、あの人はただひと言、しかも二刻の間もおかずに返詞を寄来《よこ》して、渡殿へ忍んで来いとさ。
紀友雄　おれが考えるには。
清原明　まさに瓶子だ。お好みなら酒でも水でも御用に立つやつさ。出羽では庭子の恋だってもうちっと美しい。

紀友雄　おれが考えるには、お身はただ云われたとおりに出掛けて行けばよかったのさ。それで何もかも良く行ったのさ。お身は艶書を送ったし、女から返詞があった。しかも逢曳《あいびき》の場所まで定めてあるんだ。

清原明　大事なのは真実さ。おれの望んでいるのはそれだけだ。

紀友雄　（腹を抱えて笑う）じゃあ、お身はあの姫が厠《かわや》ではこでもまっている姿を見る外はないよ。

そこへ馬上の源保《みなもとのたもつ》（前検非違使別当《けびいしべっとう》）がやって来る。従者三名。

紀友雄　（笑い止めて）おい見ろよ。別当保が来た。

清原明　そうとも、おれはあの男と一緒に出家するんだ。

紀友雄　何だっておい、別当もか。

源保　（近寄って）清原公大層お早いお立だった。む。そこにいるのは紀の少輔か。

紀友雄　ぜんたいこれはどうした訳だい。

源保　聴いたろうが俺ゃ出家するのだよ。

紀友雄　（額を摑《つか》んで）おれゃ馬鹿にでもなっちまわなきゃよいが。

源保　（馬から下りて）お身もどうだ。ひとつ無名上人に帰依《きえ》する気はないかね。

紀友雄　無名上人だって。

源保　（頷《うなず》いて）無名上人。そう。その人だよ。
紀友雄　（足踏をして）いい加減におれの頭を掻《か》き廻してくれ、ぜんたい何があったんだ。
源保　俺は弊履のように検非違使長官を辞して来た。というのは、あの無名上人の名が俺の耳に伝わり、俺の心が動いたからだ。
紀友雄　それというのが？
源保　摂津の山に棲《す》む無名上人という聖《ひじり》が、三千巻――三万巻だとも云うがな――経文を転写した功力《くりき》で、その庵《いおり》の畔《ほとり》には夜ごとに普賢菩薩《ふげんぼさつ》が顕現すると云うのだ。
紀友雄　（清原明に瞬《まばた》いて見せる）
源保　勿論《もちろん》俺も初めは信じなかった。しかしあまりに噂《うわさ》が高いのでつい来て見る気になったのだ。仏縁があったのだな。（合掌唱名）
紀友雄　で、顕現はあったのかね。
源保　（深く頷いて）あった。俺は初めて仏世界のあることを知った。生きての果報だ。俺のような田夫野人に尊い御姿を顕現したまうとは、泪《なみだ》の溢《あふ》れる有難《ありがた》い慈悲だ。で、俺はすぐ上人に請うて御弟子となる約束をした。今日はこれから行って落飾するのだよ。

清原明　勿論おれは顕現というやつは気に喰わぬさ。だが、それも見ての上だ。
源保　そうとも、拝んだ上のことさ。と云うのは、仏縁があったらばという訳さ。
紀友雄　やれやれ、こりゃ本物だぞ。

よろよろとなる。清原明が支えている。この時、また里人男女が無名上人の名を呼び立てながら走り過ぎる。

森の中。おびただしい群衆が騒いでいる。遥《はるか》に遠く群衆の頭上に半身を乗出して、一人の老僧が手を振りながら何か絶叫しているがさっぱり聞えない。これが無名上人だ。

群衆の声々　分からない、分からない。大声でやれ。黙れ。やれ。押すな。痛い、痛い。聞えない、聞えない。静かに。けけけけけけけ。わあっ。（等々）
源保（群集の中からぬっと半身を乗出して）黙れ、黙れ、下司ども。
群衆の声々　何だ何をしゃべるんだきゃつは。大声でやれ。喚《わめ》け。（等々）
源保（剣を抜いて頭上で振廻す）黙れ。静かにしろ。おのれ咆《ほ》えて見ろ。尊いお説法の邪魔をするやつは、片端からこの剣で始末をつけてやる。さあ、吽ってみろ。
群衆次第に鎮《しず》まる。源保もかくれる。無名上人はふたたび説法を始める。この時空から矢に射抜かれた一羽の鵠《こうのとり》が落ちて来て、上人の頭に当る。上人は驚愕の余り、跳び上り叫ぶ。群衆はきゃらきゃらと笑いどよめく。ふたたび収拾すべからざる騒擾《そうじょう》。上人が片手に鵠を提げ、群衆を掻分《かきわ》けて前景へ出て来る。法衣は裂け、袖《そで》が綻《ほころ》びているので、上人はそれを肩へ捲《まく》り上げ捲り上げ話す。その後から源保。

無名上人　（喘ぎながら）何たることじゃ。ああ、何たることじゃ。

源保　さあ吐《ぬ》かせ。どいつだ。尊いお説法の最中に殺生《せっしょう》しくさったはどいつじゃ。

無名上人　（泣声で）吐かせ。えい、吐かせ。

そこへ荒木の弓を持ち矢を負った猟夫が出て来る。上人はいち早くもそれを見つけて、〝さこそという表情。そこへ鵠を投出して腕を組む。群衆は面白くなってきた場面の為に退《さが》り、大きな円陣を作る。見ると、その円の端に例の三人の翁もいる。

猟夫　（鵠を見付けたので、怖《おそ》る怖る近寄る）

無名上人　（噛付《かみつ》かんばかりに）貴様か！

猟夫　（びっくりして跳び退り、どこか噛まれはしなかったかと撫廻《なでまわ》しながら）へい。

無名上人　貴様か、貴様か。この尊い場所で殺生をしくさったのは貴様かと云うんだ。

猟夫　（あいそ笑いをして）私はその鵠を頂きに参ったばかりでございます。

無名上人　堕地獄、呪《のろ》われておれい。

猟夫　何かおっしゃいましたか。

無名上人　下司め。この尊い場所で誰《だれ》に許されて殺生などしくさったのじゃ。え、こら、この尊い場所でだ。

猟夫　ですが。（困って）ここがその……。

群衆中のある男　（進み出て）つまりお上人様はなあ。今御自分がここで説法していたことを云うておられるんじゃよ。

群衆中のある男　尊いとは、つまりそれじゃよ。

猟夫　ですが私は。（唾を呑《の》んで）猟夫でして。

無名上人　（のしかかって）猟夫ならどうした。猟夫なら殺生してもよいのか。仏は殺すなと仰《おお》せられてある。仰せられてあるんだ。下司め、下司野郎め。貴様などこそ一束にして焚殺《たきころ》すがよいのじゃ。そうなのじゃ。

猟夫　その、お話中ですが、私は……。

無名上人　（両手を挙げて）黙れ、黙れ、黙れ。この山猿《やまざる》の胎児《はらご》め。今この世にどんな尊い奇蹟《きせき》が示されているか貴様には分かるまいが、衆生済度《しゅじょうさいど》の示顕あって、尊い御仏《みほとけ》が御姿を顕《あら》わされるのだ。末世、来世の近づいた証拠じゃ。よいか、俺が、この俺が百歳の間に三千巻の経文を写した功徳《くどく》で……。

群衆中の三翁　（たがいに顔を見合せて）百年だと。三千巻だと。

無名上人　初めてこの不思議が示されたのじゃ、草を喰《た》べ、木の根を嚙み、辛苦を積んで、この俺が二百歳もの間、三万巻に余る経文を写したからなのじゃ。

うわぐみの翁　二百年だって、二百年も生きたって。（前場の型でうわぐむ）

矢野の翁　八田部の主ゃまたうわぐんでしもたや。おうい、二百年た嘘じゃぞおい。

（両翁はうわぐんだ友達を連れてかくれる）

無名上人　（続けて）その間の艱難《かんなん》辛苦というものはどんなだったか。そりゃ御仏のほかには御存知あるまい、だが……。

猟夫　（困って）で、その、お話中ですが、私はただその鵲さえ頂けばそれでよろしいので……。

無名上人　（ほとんど嚙み付いて）黙れ、黙れ、黙れ。俺が先刻から黙れと云ってるに分からんのか。このど下司野郎め、狗《いぬ》の倅《せがれ》め。

猟夫　（ついに耐えかねて）えい、畜生。吐かすな。焼石頭め、唐来のど坊主《ぼうず》め。

無名上人　（おびえて退る）

猟夫　おれ達が殺生するのも、坊主がお経を写すのも同じことだ。畜生、この赭《あか》っ鼻の山法師め、山科《やましな》道理のくそ説法め。

源保　こいつ、お上人を罵《のの》りおったな。

猟夫　糞法師《くそほうし》め、乞食《こじき》坊主め。

無名上人　（頭を掻き挘《むし》って）畜生、狗の倅め、山猿の胎児め、下司野郎め。えい、貴様達はまた何だって、阿呆《あほう》のように突立っているんじゃ。畜生、早くきゃつを捉《とら》えろ。早くだ、早くだ。

わっというどよめき、群衆は猟夫を追廻す。うわぐんだ友達を群衆の怒濤《どとう》から護《まも》っている二翁の努力が見える。結局、狗の倅は捉《つか》まってしまう。

猟夫　さあ、どうでもしろ。

無名上人　（満足して）どうだ下司野郎、俺ゃこのくらいの権力はいつも持っているんじゃ。分かったか。俺ゃつまりこれほど偉いのじゃ。吔えてみろ、吔えてみろ。

猟夫　山の神にかけて、貴様の赭っ鼻がもっとうんと赭くなるようにだ。

無名上人　俺ゃこの鼻は菩薩尊に捧《ささ》げてあるんじゃ。赭くなろうと青くなろうと、そりゃ御仏の御意次第じゃ。（肩を聳かして）どうだ下司野郎。咆えてみろ、咆えてみろ。

猟夫　おれの黒がいたら、狗の伜がどんなものか思い知らせてやるんだ。（泣く）

無名上人　そうだ、咆えろ。もっと咆えて見ろ。

この時仏弟子が出て来る。

仏弟子　どうぞお山へ、お上人様。顕現の刻に近うございまする。

無名上人　（尊大に）む。む。（群衆に手を挙げて）さあ、皆の衆。有難い刻が近づいてきた。今宵も尊い御姿を拝むことができるのじゃ。（合掌唱名）さ、別当保殿。

源保　（従者に馬を引かせて）お上人は何卒《なにとぞ》これへ。

無名上人　（心に適《かな》って）うむ、御免なされ。（乗る）さあ皆お山へ。（つと猟夫を見つけ、唾を吐きかける）この下司野郎め。（向直って手で群衆を招きながら）お山へ。お山へ。

猟夫　（泣声で）縄《なわ》を解け。やい、赭っ鼻め、焼石頭め。

しかし無名上人を先頭にしたこの清教徒の行列は、頓着《とんじゃく》なしに念仏しながら去ってしまう。紀友雄と清原明とが残る。

紀友雄　お身の導師だ。（笑う）

清原明　あれだって京の上面《うわつら》ばかりの人間に比べれば、よほど真剣なところがあるよ。
紀友雄　惜しいことには少し真剣過ぎる。
猟夫　お話中で恐入りますが、ひとつ私のほうを見て頂けませんでしょうか。
紀友雄　（振返って）おう、まず第一の犠牲者というところだね。
猟夫　あいつは狗の伜だと申しました。
紀友雄　泣くなよ。（縄を解いてやる）
猟夫　泣くなとおっしゃいますが、私は、決して狗の伜じゃございません。
紀友雄　そう云われてみればねえ。ところでなにかい、お前はあのお上人、つまりお前の云う赭鼻の山法師が話していた仏様というのを見たことがあるかい。
猟夫　ありません。また見たいとも思いません。
清原明　そりゃまたなぜ、お前は来世の成仏《じょうぶつ》が欲しくはないのかね。
猟夫　ですが、そりゃまた別の話でさ。なぜって、私ゃ小さい時分からの猟人で、殺生をしてはその日を暮らしてきた者ですし、今までに一度だって仏様の思召《おぼしめ》しに適うようなことをしていないのですから、どうしたって有難い御姿の見える訳がありません。

紀友雄　（清原明に囁《ささや》いて）純粋の信者だよ。

猟夫　それに、この山には大納言《だいなごん》善閑様の怨霊《おんりょう》の憑《つ》いた狐《きつね》がいまして、誰彼となく化かしますから、かの坊主も大納言狐に化かされているのじゃないかと、私ゃこうも思うんだ。

紀友雄　では、どうしてそれを慥《たしか》めてみないんだね。

猟夫　（喚いて）畜生、ど坊主め、似非《えせ》聖め。ですから、私ゃこれから行って試してみるつもりでさ。本当の仏様か狐か、試してやりまさ。

紀友雄　（悦《うれ》しそうにぞくぞくして）面白くなってきたぞ清原公。これで須磨《すま》近くまでやって来た甲斐《かい》があると云うものだ。

猟夫　そうでさ、試してやりまさ。

草庵《そうあん》の前。庵の中では源保が落飾を終ったところ。群衆は庭に溢れている。上人は略式を終えて立上る。

無名上人　さあ、今このかたが御仏の御弟子となるので、俗界との別をおっしゃるそうじゃ。どうぞ皆もあやかるように。（退く）

源保　（立って来る）皆の人達、俺ゃ見るように出家入道した。申すまでもなく、今度の有難い菩薩尊を拝んだからじゃ。俺ゃ長い間京にあって検非違使の別当を勤めてきた者じゃ。皆は知るまいが、検非の長官に選まれる者は、昔から五賢を備うると云われ、参議以上に擬せられたものじゃ。また選まれて職に上る者は畏《かしこ》くも宣《せん》旨《じ》を賜わり……。

群衆中のある声　早く仏様を見せてくれ。

源保　何だと。

群衆中のある声　仏様を先に見せてくれろとよ。

源保　俺の云うことを聴け、俺は別当保だぞ。俺の話しているのが分からんか。む。(で、彼も拠《よんどころ》なく話をはしょる)で、俺はその長い間の京の生活で、殿上人《てんじょうびと》がどういうものであるか、武家、侍がどんなものか、また位階や名誉がどれほどのものかおよそ知り尽してきた。(咳をして)で、ぜんたいそれがどうだったかと云えば、それは皆きわめて詰らない馬鹿馬鹿しいものだ。

群衆の声々　仏様を先にしろ。しゃべるのは後で沢山だ。仏が先だ。仏を見せろ。仏だ、仏だ。(等々)

源保　黙れ、黙れ。俺が話を……。

群衆中のある声　(やけに)けけけけけけ。

源保　（従者から剣を奪って引抜き）さあ吽れ。どいつだ。貴様か、貴様か、さあ面《おもて》を挙げろ。今吽ったやつは面を挙げろ。

無名上人　まあ、まあ、静かになされ。静かに。

源保　だが、この尊い場所で罵《のの》り喚くとは荒涼なやつらだ。さあ面を挙げろ。上げて見ろ。

無名上人　（片手を翳《かざ》して）お身に法名が付いたからには俺はお身の師だぞい。

源保　（瞠目《どうもく》、退る）む、うむ。

無名上人　（群衆に）俺は御仏の名において静かにせよと云う。というのが、顕現に間もないからじゃ。で、何度も云うように菩薩尊は余り長く御姿をお見せくださらぬ。で、もし御仏の御姿を拝んで発心した者は、悪いと思ったことを皆懺悔《ざんげ》するがよい。広大なお慈悲に縋《すが》れば、誰彼の差別なく仏果が得られるのじゃ。よいかな。一番大事なことは偽の心を棄《す》てることじゃ。御仏は過去現在未来を見透しておられる。それを忘れぬように、分かったのであろうな。

源保　俺ゃまだ話しきっていないのだが……。

無名上人　では、穏やかに話すがよい。

源保　先刻も申したように、そりゃ皆きわめて詰らぬ馬鹿馬鹿しいことじゃ。取るに足らぬ子供騙《だま》しなのじゃ。

仏弟子　（遮《さえぎ》って）あ、向う山の背が明るくなりました。顕現の刻でございます。

無名上人　おお、谿川《たにがわ》の流れが止まった。松風が歇《や》んだ。顕現の刻じゃ。皆お庭へ、お庭へ。

人達はみんな庭へ下りて額《ぬか》ずく。やがて神秘的な薄光があたりを照し、右手の木簇《こむら》の表に普賢菩薩が顕現する。

うわぐみの翁　（跳び上って）わ、こりゃ本物じゃ。

友達がまたうわぐんでしまうので、両翁は必死に群衆の中へ引据《ひきす》える。群衆の念仏合唱高くなる。と発心した一人の若者が、がたがた顫《ふる》えながら真理の光の前へ這出《はいで》る。

若者　（泣声で）どうぞ、どうぞ仏様、私をお赦《ゆる》しくださいませ。私はただあの街道をぶらぶらと歩いているだけでございます。すると、宇田の五郎めが牛を牽《ひ》いてやって来まして、私のこの顔へ牛の鼻づらをやっというほどぶっつけたのです。そりゃもう気の遠くなるほどでございます。やつがわざとそうしたことぐらいは仏様だって御存知だと思います。私ゃ自分の腸《はらわた》を抉《えぐ》り出したいくらい腹が立ちました。でも、私ゃ自分にこう云ったので。おい、仏様のことを考えろよ、ってです。ですから、私ゃ我慢に我慢して、そっとその鼻の尖《さき》を撫でてやったのでございます。ほんのそっとです。

若者の二　（這い出て来る）仏様、仏様、どうぞ私のほうを御覧ください。そりゃ違いますよあなた、そりゃてんで逆でございますよ。この男は私の牛を半殺しにいたしました。私の牛はもうまるで気力を無くして、赤ん坊のようにうんうん呻って寝ているくらいでございます。それゃまったくです。（待てよ、仏は過去現在未来を見透しだそうだ）そりゃもう、（あわてて）昨夜だけだったかも知れませんが、でもその、私の牛はいつも夕飯の後では呻る癖がありますので、こりゃ本当です。（語を変えて）それに私がわざとぶつけたと申しますが、実を云うと私の牛は、奇態な顔つきを見ると耐《たま》らなく舐《な》めたがる癖がありますので、多分……。

若者　おりゃ、おりゃ奇態な顔じゃないぞ。

若者の二　そりゃおれの牛だけが知ったことじゃ。

若者　（主張して）おりゃ奇態な顔じゃないぞ。おりゃその、おりゃ……。

若者の二　どうぞ仏様、私ゃ銭一貫納めます。どうぞ私が悪いなどと思いませぬように、思わしゃりませぬように……。

若者　（急いで）私ゃ銭二貫を差上げます。どうぞ私を悪く思召しませんように、どうぞ、どうぞ仏様、可哀そうな私をお憐《あわれ》みください。

顕現した像の身辺に一種の音が起る。

無名上人　これ、これ。さ、退《の》いた、退いた。御仏は斎《とき》を召していられる。用意の物を。

仏弟子三宝に盛った斎物を捧げて来る。上人は急《せわ》しくそれを仏に供える。群衆どやしつけられたように合掌唱名。

そこへ狗の伜が走り出て来た。

猟夫　（供物を蹴散《けち》らして仏に叫ぶ）貴様は何物だ。

無名上人　（仰天して）こら、こらやい、下司。

猟夫　貴様は何だ。狐か、狸《たぬき》か、さあ返辞しろ。

無名上人　こいつは気が狂ったのじゃ。（這い寄って猟夫の裾《すそ》を引張って）こら、こら、貴様は気が違っているのじゃ。

猟夫　（上人を押返して）さあ、たった今、化の皮を脱げ。おれが誰だかということは津の国の山に棲むほどの獣なら知っているはずだ。さあ、たった今消えてしまえ。

無名上人　これ別当殿、早くこいつを。

源保　（うろうろして）こら、剣を、剣をくれ。

猟夫　（手早く二人に矢を番《つが》えて）びくっとでも動いてみろ。目蓋《まぶた》でも動かして見ろ。二本の矢が風のように飛んで行くぞ。

無名上人　だが、おい、その……。（居竦《いすく》む）

猟夫　（仏に向って）詫《わび》を云って消えるか。それともおれの矢を受けて見るか。真の仏なら矢に射殺されるはずはあるまい。よいか、矢声は三つだ。

無名上人　（がたがた顫えて）こら、おい。

猟夫　ひい。

無名上人　もう破滅じゃ。ありとある御仏の御名にかけて、その矢を射るな。

猟夫　ふう。

無名上人　こら、下司、お主、あなた、殿。

猟夫　みい。（矢を射放つ）

奇蹟が破壊された。凄《すさ》まじい音響とともに菩薩の像は消える。あたりは闇《やみ》となる。群衆の叫喚騒擾。そして間もなく何か驚天動地的な事件を期待して群衆は鎮まる。谷を隔てて向う山の端が明るくなる。そして大きな月が出る。右のほうから笑声が聞えてくる。やがて猟夫が矢に射抜かれた大きな白狐《びゃっこ》の

猟夫　屍《しかばね》を引摺《ひきず》って、笑いこけながら出て来る。（笑う、笑う）見ろよ。これが仏の正体だ。有難いお姿だ。（笑う）あの聖は、百年も、二百年も草や木根を喰べながら、三万巻のお経を写したので、その功徳で、狐に化かされた。（笑の爆発）こりゃ耐らない。我慢ができない、死にそうだ。（笑う、笑う）

うわぐみの翁　（跳び上って）俺はもう駄目《だめ》じゃ。こんだまた狐だとよ。（くたくたと崩折れる）

群衆の声々　狐だとよ。狐だとよ。おや狐だ。おやこりゃ狐だ。本当に狐だ。

（等々）

源保　あっ。（頭へ手をやる。もう遅い）

しかし別当保の仏性は、この時神秘の啓示を感受する。で、つかつかと進出て、猟夫をそこへ捻伏《ねじふ》せ、うむとも云わせずその口の中へ何かの布切れを押込んでしまう。

源保　（従者に）こいつを引括《ひっくく》れ。

従者両名　（猟夫を縛り上げる）

源保　（呆《あき》れている群衆に向って手を翳し）さあ皆、騒ぐことはない。俺の云うことを静かに聴くがよい。

無名上人 （何だきゃつは、この上何を素っ破抜くつもりなんだ）

源保 （厳かに）今ここでどんなことが起ったか、お身達には分からぬのだ。御仏の本当の力がお身達には分かっていないのだ。（合掌唱名）皆も見ていたように、あの下司めは勿体《もったい》なくも御仏に矢を向けた。もしあの矢が真直ぐに御仏へ飛んで行ったら、俺達ここにいた者はおろか、日本全国が仏界から見放されて、未来永劫《えいごう》地獄に堕《お》ちなければならなかったのじゃ。だが、俺はまず第一にそうならなかったことをお身達に知らせてやろう。なぜならば、猟夫の放った矢は、この山に年古く棲む白狐が御仏の御身代りになって受けたからじゃ。

無名上人 （危く「うまいぞ別当」と云うところ）

群衆の声々 お身代り。狐が仏のお身代りだと。おお。おお。（等々）

源保 （成功を慥めて、合掌唱名）白狐は齢《よわい》三百を重ねて力神に通ずるという。されば獣ながらも仏果を願って、自ら菩薩尊のお身代りに立ったのじゃ。ああ阿弥陀《あみだ》仏《ぶつ》、何という有難い示顕じゃ。（唱名）

無名上人 （嬉《うれ》しさにわくわくしながら出る）俺には分かっていた。分かっていたのじゃ。（啜《すす》り泣いて）つまり最初からこうなることは知れていたのじゃ。それと

云うのが、これはみな御仏の約束なのじゃ。そうなのじゃ。（泣く）

猟夫　（ついに口から布切れを吐出して）狐だ。狐に化かされたんだ。

無名上人　（声高く）如是《にょぜ》畜生。発菩提心《ほつぼだいしん》。

群衆　（それにつけて）如是畜生、発菩提心。

源保　（汗を拭《ふ》いている）

群衆　（合掌唱名）

猟夫　狐だ。狐だ。化かされたんだあ。

　幕の外。清原明と紀友雄。

紀友雄　おいおい、元気を出せよ、元気を。そこでおれはもう姫への返辞を訊《き》いてもよかろうな。

清原明　お身のよいようにやってくれ。

紀友雄　万歳、じゃあこれが姫からお身への艶書だ。へへ、分かったろうな清原公、世間とはこんなもんだよ。

清原明　それが京の哲学だな。

紀友雄　いや、明日も明後日もだ、人ある限りだ。（笑う）さあ急ごう。今夜のうちに福原まで行って、明日は京へ入るのさ。おれは今夜の話で京中を笑わしてやるよ。

話しながら去る。

幕

（「舞台」昭和五年七月号）

解説

木村久邇典

本書には、昭和五年七月号「舞台」に掲載された『戯曲　大納言狐《だいなごんぎつね》』から、昭和二十二年六月二十二日号「週刊朝日」に発表した『葦《あし》』にいたる、十一編の作品が収録されている。

『嫁取り二代記』は昭和十二年一月号「婦人倶楽部」に執筆したもので、武家社会を背景にした〝こっけい物〟の系列に属する短編小説だ。頑固《がんこ》一徹の牧屋勘兵衛といい、いかにも調子のいい甥《おい》の直次郎といい、直次郎が嫁に望んでいる元芸妓《げいぎ》のお笛といい、まことに好ましい人物たちが織りなす人生喜劇である。融通の利《き》かない堅物のようにみえる勘兵衛老人も、実は人情の機微を弁《わきま》えた恩情家で、お調子者のごとき直次郎も、正体は機略に富んだ好青年なのであり、お笛にいたっては、前半生の不幸にもめげず、直次郎を信じて素直に明るく生きていこうとする〝可愛《かわい》い女〟の一典型である。ならず者「疵《きず》の伝吉」のいいがかりへの、みごとな彼女の撃退ぶりといい、勘兵衛老人のほうが、お笛の人柄《ひとがら》に惹《ひ》き入れられ、直次郎の嫁に迎えようと傾斜してゆくゆくたてがまことにこころたのしく、お笛を老人に託して江戸詰めになった甥に認《したた》める勘兵衛の手紙がまた秀逸である。

山本周五郎には〝お人好《ひとよ》しの頑固老人〟を描いた作品がすくなくない。作者は二十代の後半期、尾崎士郎に〝曲軒〟なるニックネームをおくられたが、〝直軒〟的性格もまた顕著であった。勘兵衛老人には、まごうかたなく〝曲軒〟と〝直軒〟とが同居しているのである。作者としても、勘兵衛に仮託して、曲軒老人と〝直軒〟翁的裏面を描きだしたかったのではあるまいか。ちなみにこの作品は昭和二十一年五月号「講談雑誌」に『明暗嫁問答』（筆名・神田周山）として改稿、再発表されている。テーマに寄せた作者の意欲を物語るものであろう。

『遊行寺《ゆぎょうじ》の浅《あさ》』は昭和十五年十二月号「キング」に掲載された小説である。山本としては、渡世人だった板割り浅太郎が登場する風変わりな作品だが、後記にあるとおり、この題材は〈遊行寺四ケ院代・吉川清氏の資料によった〉ものだったという。吉川清は著名な洋画家でもあって、山本の馬込《まごめ》居住時代から、今井達夫、尾崎士郎らと親しく交わった芸術家肌《はだ》の僧侶《そうりょ》であった。

〈貞松院は天寿を全うして、七十余歳で遊行寺に死んだ。……『小浅』のおつまはそれより数年まえに先立っている。赤城《あかぎ》山で有名な国定忠治の子分、板割りの浅太郎がどうして一念上人に救われたか、おつまとはどんな関係があったのか、残念ながら伝わっていない。……彼の墓はいま遊行寺境内、貞松院の跡に残っている〉という結尾からすれば、おそらく『小浅』は、作者の空想上の女性と思われる。作品の技法を主として鑑賞すれば、たくみなトリック小説であり、浅太郎がここでは仏門に帰依《きえ》した真っ当な人物として扱われているのが救いになっている。〝やくざ小説〟を徹底して厭悪《えんお》した山本の姿勢がうかがえよう。舞台中継放送の名アナウンサーだった高橋博は、この作品の特異性に注目し、山本没後、なんどか高座で暗誦《あんしょう》口演したものであった。

『夜明けの辻《つじ》』は、昭和十五年十二月号「新国民」から十六年五月号にわたって連載された。すでに山本には、昭和九年一月二十日から七月十五日まで「二六新報」に連載した『明和絵暦』という長編小説があり、さらにこれに手を加えて昭和十六年十二月十日、奥川書房から同じ題名で刊行した単行本がある。『夜明けの辻』も『明和絵暦』も江戸中期の〝明和事件〟（または〝小幡藩《おばたはん》事件〟とも称された）を背景とし、甲州・篠原村《しのはらむら》出身の山県大弐《やまがただいに》が主要な登場人物に扱われている作品であるが、これはおそらく山本の生母とくが大弐とおなじ篠原村竜王《りゅうおう》生まれだったことや、山本が少年時代に奉公した質屋が木挽町《こびきちょう》で、山県が道場を構えていたのが程とおからぬ八丁堀《はっちょうぼり》だったという由縁などから、山県大弐と明和事件について、若い時分から関心をもちつづけていたのではなかったかと推測される。

山本年譜によって類推すると、山本は『夜明けの辻』を書きあげたのち、続いて『明和絵暦』の加筆にとりかかったわけで、山本がこの事件に抱き続けた関心のふかさも知られるような気がする。

ただし、同じ事件や世相を作品の背景に据《す》えるにしても、〝同工異曲〟におちいることを、新進時代から極端に要慎《ようじん》した山本は、『夜明けの辻』では、そのためにかなりの苦心をなめ、山県大弐や、小幡藩内の内紛という事態を、小説の前面から後退させ、功刀《くぬぎ》伊兵衛と来栖《くるす》道之進の友情の疎隔《そかく》と和解をタテ糸に、伊兵衛の妹佐和と道之進の愛情の重唱をヨコ糸に織りなし、力強い青春小説としての模様がえに、ある程度の成功を収めているように感じられる。後年の、山本の描いた緻密《ちみつ》な人間群像には及ぶべくもないにせよ、〝名人芸〟と評された山本の人間造形の楷梯《かいてい》の推移は、『夜明けの辻』と『明和絵暦』の二作品を対比させることで、いちだんとご理解がいただけるものと思う。

『梅月夜』は昭和十六年一月号「講談雑誌」に掲載された短編である。国家老の娘との婚約を破棄してでも、さむらいの意地を貫きとおすという、さわやかで硬質の〝武家もの〟である。高沖千之助が自宅に助けを求めにとび込んできた他藩の見馴《みな》れぬ若侍のために、思いがけぬ方向へ運命を転換させてゆく物語りの運びに緊迫感があって、人世の転変の不思議さがよく現わされている。山本にはすくない剣撃シーンも入っているのだが、そのへんを娯楽雑誌誂《あつら》えの安易な展開、と読むムキもあるかもしれない。

『熊野《くまの》灘《なだ》』は昭和十七年二月号「講談雑誌」に発表された短編で、太平洋戦争開始後わずか三ヵ月、日本が連戦連勝の勢いを示した時期の作物であることに注目されたい。

熊野灘に臨む捕鯨漁業の根拠地、太地《たいち》の網元の悴《せがれ》・和田屋小三郎は紀伊《きい》頼宣《よりのぶ》の命で出府、将軍家光に鯨とりの模様を言上して面目を施し、家光からもともとは武士だった和田家を、紀州家において千石で取り立てる約束を賜わるが、結局は海にとどまり、太地の漁夫とともに捕鯨に生きることを決意する。当時としては、時局にかなった〝生産小説〟とみられぬこともないのだが、立身出世を捨て、あくまで生業に生きる甲斐《がい》を見出すというテーマの選択に、作者の戦争批判の姿勢を読み取るべきであろう。

紀州・田辺城主安藤直次の人物像のあしらいもきわめて印象的だ。

『平八郎聞書』は昭和十七年七月刊の短編集『島原伝来記』（桜木書房）初収の小説。山本周五郎にとって最初の大人向けの娯楽大衆小説『だだら団兵衛』（昭和七年五月号「キング」）や、戦後まもなく改筆した『山だち問答』（昭和二十一年六月号「講談雑誌」）と部分的に筋立てを同じくする作品でもあるが、本多平八郎の東照神君聞書がメーンテーマになっていることを注視したい。

山本周五郎は、徳川家康、上杉鷹山《ようざん》、明智光秀を書きおえたら、時代小説から離れて現代小説一本にしぼるつもりだと語ったものである。なかんずくわたくしに話し聞かせた「徳川家康」のプロットの終章では、家康が家臣団に彼の〝家訓〟を示して終わる――ということになっていた。『平八郎聞書』では、戸田新兵衛が主君の水野監《けん》物《もつ》忠善に、神君の家訓を暗誦する場面で結ばれている。

〈「……天地を尽くしても、武士の有らんかぎりはこの道理すたることなし。常の心懸けということ、これを措《お》いて多からず。たとえて手近の証拠をあげていえば……」
平八郎聞書はなお続く、空には美しく星が輝きはじめていた〉

身のひきしまる爽快《そうかい》な読後感の、みごとな盛り上げである。

『御定法』は昭和十九年十月号「新武道」に執筆した短編で、これまでの山本の、どの単行本・全集にも収録されたことがなかった。本書を編集するに際し、たまたま神田の古書店から発見されたことを、読者とともに喜びたい。なお山本周五郎には昭和三十七年十二月号「文芸朝日」に発表した『改定御定法』という作品がある。両編はあきらかに同一の主題のもとに描かれた小説で、みずからも御新法に対して反対だった侍が、商人資本から新法の弱点を衝《つ》かれて訴訟さわぎにまで発展したとき、あくまでも冷静な英知によって、商人から不当な借金を重ねた不心得な武士に、自裁せざるを得ぬ道を選ばせ、かつは藩家の権威を毅然《きぜん》として守る侍の生き方が示されている。『御定法』よりは後作の『改定御定法』のほうが、細部をよく書き込んだより優れた出来ばえではあるが、この場合、一人の人間を切腹させることなしに、英知と聡明《そうめい》だけがすべてを解決しうるものでなく、そこに人生の難しさがあると作者は考えているようだ……とする久保田正文（昭和三十九年八月、講談社版『山本周五郎全集第十一巻』解説）の指摘は鋭い。久保田の批評は、そのまま前作『御定法』にも援用できるように思われる。

『勘弁記』は昭和二十年三月刊『夏草戦記』初収の作品である。この小説も『梅月夜』と同様に、約束のためには、義弟や朋輩《ほうばい》とのよしみも捨てて、断固として〝義〟のためにたたかう周藤《すどう》新六郎の、武士の生きざまが取り上げられている。

〈怒り心頭に発するという言葉があるが、心頭に発する怒りというものは、そうめったにあるものではない。山本君は、その怒りを常に心頭に蓄えている男だった〉(「山本曲軒」昭和三十八年八月、講談社版『山本周五郎全集第四巻』月報)と尾崎士郎が評したころの、代表的な一編である。ただし、やや生硬の感は免《まぬか》れ難《がた》い。

『葦《あし》』は昭和二十二年六月二十二日号「週刊朝日」に発表された掌編である。かつて売春婦だった女性の純情と、彼女との耽溺《たんでき》生活を清算して、いまは立身栄達だけを人生の至上目的と考えるようになった武家の生き方を、簡潔しかも的確に対比させた作品で、この種の功利打算的な人間を描くことを、あまり好まなかった作者には珍らしい素材である。年月の経過が、ついには人間を本質的に変質させてしまう恐ろしさ、非情さを、つきはなした距離から客観視し、人生論的寓話《ぐうわ》の高みにまで達した佳作とみたい。山本周五郎には昭和二十九年九月号「面白倶楽部」に発表した『葦は見ていた』という小説があり、同一テーマによって、より完璧《かんぺき》化を期したごとくで、文末にもその旨《むね》が明記されている。後者でも作者一流の工夫がこらされているものの、わたくしは文章構成の緊密性では『葦』がまさるものとみたい。

『荒涼の記』は昭和九年七月号「ぬかご」(俳誌)に掲載されたコントである。東京・大森区の〝馬込文士村〟の住民だったころの、作者家常のひとコマを伝え、貧乏譚《たん》におかしみを加味した文章に仕立てようとする山本の姿勢がほほえましい。なお文中の〃風々雨々荘主人〃は尾崎士郎のことである。

『戯曲 大納言狐』は昭和五年七月号「舞台」に発表された戯曲である。「舞台」は、岡本綺堂《きどう》監修にかかる演劇雑誌であった。〈編集後記〉に〈山本氏は新国劇十周年記念脚本（注・『法林寺異記・三幕』）に首選となった人。この二作（注・長谷川伸『子を取ろ子取ろ』と）はその後の二氏の進境を伺う好個のバロメーターであろう〉とある。当時の代表的演劇ジャーナリズムが、長谷川伸と山本周五郎を並記して、その将来性に関心を示しているところが興味ぶかい。

この戯曲は山本が演劇に傾斜していた青年時代の作品で、三瓶達司は、山本作品の原典を『今昔物語』巻二十「愛宕護山聖人被謀野猪語第十三」とし、

〈原典との相異は、化す獣が、『今昔物語』では野猪、『宇治拾遺物語』では狸となっているだけである。『今昔物語』では、この説話の次に、本文のない「野干変人形請僧為講師語第十四」という題名だけの章がある。野干というのは狐のことであるから、『大納言狐』という仕立は、あるいはそれからの着想かもしれない〉（昭和五十六年四月号「日本文学」）

と述べている。昭和二十九年に至って、山本周五郎は、ほとんど同じ題材で『大納

言狐』（十月「週刊朝日増刊」）という〝平安朝もの〟の小説に止揚させた。劇作がいかに散文化されていったかを窺《うかが》ううえでも興趣つきないものがあり、対比併読をすすめたい。

（昭和六十一年八月、文芸評論家）

「嫁取り二代記」は実業之日本社刊『山本周五郎婦道小説集』（昭和五十二年九月）、「遊行寺の浅」は同『幕末小説集』（昭和五十年十一月）、「夜明けの辻」「梅月夜」「葦」は同『爽快小説集』（昭和五十三年六月）、「熊野灘」「平八郎聞書」「〈戯曲〉大納言狐」は同『強豪小説集』（昭和五十三年三月）、「勘弁記」は同『士道小説集』（昭和四十七年七月）、「荒凉の記」は同『真情小説集』（昭和五十七年八月）にそれぞれ収められた。

表記について

新潮文庫の文字表記については、原文を尊重するという見地に立ち、次のように方針を定めました。

一、旧仮名づかいで書かれた口語文の作品は、新仮名づかいに改める。
二、文語文の作品は旧仮名づかいのままとする。
三、旧字体で書かれているものは、原則として新字体に改める。
四、難読と思われる語には振仮名をつける。

なお本作品集中には、今日の観点からみると差別的表現ととられかねない箇所が散見しますが、著者自身に差別的意図はなく、作品自体のもつ文学性ならびに芸術性、また著者がすでに故人であるという事情に鑑《かんが》み、原文どおりとしました。

（新潮文庫編集部）

山本周五郎著

樅ノ木は残った

毎日出版文化賞受賞（上・中・下）

仙台藩主・伊達綱宗の逼塞。藩士四名の暗殺と幕府の罠――。伊達騒動で暗躍した原田甲斐の人間味溢れる肖像を描き出した歴史長編。

山本周五郎著

さ ぶ

職人仲間のさぶと栄二。濡れ衣を着せられ捨鉢になる栄二を、さぶは忍耐強く支える。友情を通じて人間のあるべき姿を描く時代長編。

山本周五郎著

赤ひげ診療譚

貧しい者への深き愛情から〝赤ひげ〟と慕われる、小石川養生所の新出去定。見習医師との魂のふれあいを描く医療小説の最高傑作。

山本周五郎著

日本婦道記

厳しい武家の定めの中で、愛する人のために生き抜いた女性たちの清々しいまでの強靭さと、凛然たる美しさや哀しさが溢れる31編。

山本周五郎著

ながい坂（上・下）

人生は、長い坂。重い荷を背負い、一歩一歩、確かめながら上るのみ――。一人の男の孤独で厳しい半生を描く、周五郎文学の到達点。

山本周五郎著

青べか物語

うらぶれた漁師町・浦粕に住み着いた私はボロ舟「青べか」を買わされた――。狡猾だが世話好きの愛すべき人々を描く自伝的小説。

山本周五郎著

五瓣の椿

連続する不審死。胸には銀の釵が打ち込まれ、傍らには赤い椿の花びら。おしのの復讐は完遂するのか。ミステリー仕立ての傑作長編。

山本周五郎著

季節のない街

生きてゆけるだけ、まだ仕合わせさ——。貧民街で日々の暮らしに追われる住人たちの15の悲喜を描いた、人生派・山本周五郎の傑作。

山本周五郎著

柳橋物語・むかしも今も

幼い恋を信じた女を襲う悲運「柳橋物語」。愚直な男が掴んだ幸せ「むかしも今も」。男女それぞれの一途な愛の行方を描く傑作二編。

山本周五郎著

寝ぼけ署長

署でも官舎でもぐうぐう寝てばかりの〝寝ぼけ署長〟こと五道三省が人情味あふれる方法で難事件を解決する。周五郎唯一の警察小説。

山本周五郎著

栄花物語

非難と悪罵を浴びながら、頑ななまでに意志を貫いて政治改革に取り組んだ老中田沼意次父子を、時代の先覚者として描いた歴史長編。

山本周五郎著

大《おお》炊《いの》介《すけ》始末

自分の出生の秘密を知った大炊介が、狂態を装って父に憎まれようとする姿を描く「大炊介始末」のほか、「よじょう」等、全10編を収録。

山本周五郎著

日日平安

橋本左内の最期を描いた「城中の霜」、武士のまごころを描く「水戸梅譜」、お家騒動をユーモラスにとらえた「日日平安」など、全11編。

山本周五郎著

虚空遍歴（上・下）

侍の身分を捨て、芸道を究めるために一生を賭けて悔いることのなかった中藤冲也――苛酷な運命を生きる真の芸術家の姿を描き出す。

山本周五郎著

おさん

純真な心を持ちながら男から男へわたらずにはいられないおさん――可愛いおんなであるがゆえの宿命の哀しさを描く表題作など10編。

山本周五郎著

おごそかな渇き

〝現代の聖書〟として世に問うべき構想を練った絶筆「おごそかな渇き」など、人生の真実を求めてさすらう庶民の哀歓を謳った10編。

山本周五郎著

つゆのひぬま

娼家に働く女の一途なまごころに、虐げられた不信の心が打負かされる姿を感動的に描いた人間讃歌「つゆのひぬま」等9編を収める。

山本周五郎著

ひとごろし

藩一番の臆病者といわれた若侍が、奇想天外な方法で果した上意討ち！　他に〝無償の奉仕〟を描く「裏の木戸はあいている」等9編。

山本周五郎著

松風の門

幼い頃、剣術の仕合で誤って幼君の右眼を失明させてしまった家臣の峻烈な生きざまを描いた「松風の門」。ほかに「釣忍」など12編。

山本周五郎著

深川安楽亭

抜け荷の拠点、深川安楽亭に屯する無頼者たちが、恋人の身請金を盗み出した奉公人に示す命がけの善意――表題作など12編を収録。

山本周五郎著

ちいさこべ

江戸の大火ですべてを失いながら、みなしご達の面倒まで引き受けて再建に奮闘する大工の若棟梁の心意気を描いた表題作など4編。

山本周五郎著

山彦乙女

徳川の天下に武田家再興を図るみどう一族と武田家の遺産の謎にとりつかれた江戸の若侍。著者の郷里が舞台の、怪奇幻想の大ロマン。

山本周五郎著

あとのない仮名

江戸で五指に入る植木職でありながら、妻とのささいな感情の行き違いから、遊蕩にふける男の内面を描いた表題作など全8編収録。

山本周五郎著

四日のあやめ

武家の法度である喧嘩の助太刀のたのみを、夫にとりつがなかった妻の行為をめぐり、夫婦の絆とは何かを問いかける表題作など9編。

山本周五郎著

町奉行日記

一度も奉行所に出仕せずに、奇抜な方法で難事件を解決してゆく町奉行の活躍を描く表題作ほか、「寒橋」など傑作短編10編を収録する。

山本周五郎著

一人ならじ

合戦の最中、敵が壊そうとする橋を、自分の足を丸太代りに支えて片足を失った武士を描く表題作等、無名の武士の心ばえを捉えた14編。

山本周五郎著

人情裏長屋

居酒屋で、いつも黙って飲んでいる一人の浪人の胸のすく活躍と人情味あふれる子育ての物語「人情裏長屋」など、〝長屋もの〟11編。

山本周五郎著

花杖記

父を殿中で殺され、家禄削減を申し渡された加乗与四郎が、事件の真相をあばくまでの記録「花杖記」など、武家社会を描き出す傑作集。

山本周五郎著

扇野

なにげない会話や、ふとした独白のなかに男女のふれあいの機微と、人生の深い意味を伝える〝愛情もの〟の秀作9編を選りすぐった。

山本周五郎著

あんちゃん

妹に対して道ならぬ感情を持った兄の苦悶とその思いがけない結末を通して、人間関係の不思議さを凝視した表題作など8編を収める。

山本周五郎著

彦左衛門外記

身分違いを理由に大名の姫から絶縁された旗本が、失意の内に市井に隠棲した大伯父を天下の御意見番に仕立て上げる奇想天外の物語。

山本周五郎著

やぶからし

幸せな家庭や子供を捨ててまで、勘当された放蕩者の前夫にはしる女心のひだの裏側を抉った表題作ほか、「ばちあたり」など全12編。

山本周五郎著

花も刀も

剣ひと筋に励みながら努力が空回りし、ついには意味もなく人を斬るまでの、平手幹太郎（造酒）の失意の青春を描く表題作など8編。

山本周五郎著

楽天旅日記

お家騒動の渦中に投げ込まれた世間知らずの若殿の眼を通し、現実政治に振りまわされる人間たちの愚かさとはかなさを諷刺した長編。

山本周五郎著

雨の山吹

子供のある家来と出奔し小さな幸福にすがって生きる妹と、それを斬りに遠国まで追った兄との静かな出会い――。表題作など10編。

山本周五郎著

月の松山

あと百日の命と宣告された武士が、已れを醜く装って師の家の安泰と愛人の幸福をはかろうとする苦渋の心情を描いた表題作など10編。

山本周五郎著

人情武士道

昔、縁談の申し込みを断られた女から夫の仕官の世話を頼まれた武士がとる思いがけない行動を描いた表題作など、初期の傑作12編。

山本周五郎著

酔いどれ次郎八

上意討ちを首尾よく果たした二人の武士に襲いかかる苛酷な運命のいたずらを通し、著者の人間観を際立たせた表題作など11編を収録。

山本周五郎著

風雲海南記

西条藩主の家系でありながら双子の弟に生まれたため幼くして寺に預けられた英三郎が、御家騒動を陰で操る巨悪と戦う。幻の大作。

山本周五郎著

与之助の花

ふとした不始末からごろつき侍にゆすられる身となった与之助の哀しい心の様を描いた表題作ほか、「奇縁無双」など全13編を収録。

山本周五郎著

泣き言はいわない

ひたすら〝人間の真実〟を追い求めた孤高の作家、周五郎ならではの、重みと暗示をたたえた言葉455。生きる勇気を与えてくれる名言集。

山本周五郎著

ならぬ堪忍

生命を賭けるに値する真の〝堪忍〟とは――。「ならぬ堪忍」他「宗近新八郎」「鏡」など、著者の人生観が滲み出る戦前の短編全13作。

新潮文庫最新刊

夜《よ》明《あ》けの辻《つじ》

新潮文庫 や-2-51

昭和六十一年九月二十五日 発行
令和四年一月三十日 二十四刷改版

著者 山《やま》本《もと》周《しゅう》五《ご》郎《ろう》

発行者 佐藤隆信

発行所 株式会社 新潮社

郵便番号 一六二―八七一一
東京都新宿区矢来町七一
電話 編集部(〇三)三二六六―五四四〇
読者係(〇三)三二六六―五一一一
https://www.shinchosha.co.jp

価格はカバーに表示してあります。

乱丁・落丁本は、ご面倒ですが小社読者係宛ご送付ください。送料小社負担にてお取替えいたします。

印刷・錦明印刷株式会社 製本・錦明印刷株式会社

Printed in Japan

ISBN978-4-10-113452-9 C0193